수학의
쎈
Spring of mathematics
워크북
연습 문제편
수학 I

차례

※ 집필 및 연구 : 아샘수학연구소　편집 및 디자인 : 김세리

1. 거듭제곱과 거듭제곱근
   ① 거듭제곱
   ② 거듭제곱근
   ③ a의 n제곱근
   ④ 거듭제곱근의 성질

2. 지수의 확장
   ① 지수가 정수인 경우
   ② 지수가 유리수인 경우
   ③ 지수가 실수인 경우

1. 거듭제곱근

n제곱하여 실수 a가 되는 수, 즉 $x^n=a$를 만족시키는 수 x를 a의 n제곱근이라고 한다. 이때, a의 제곱근, 세제곱근, 네제곱근, …을 통틀어 a의 거듭제곱근이라고 한다.

2. a의 n제곱근(실수 범위)

n \ a	$a>0$	$a=0$	$a<0$
n이 홀수	$\sqrt[n]{a}$	0	$\sqrt[n]{a}$
n이 짝수	$\sqrt[n]{a}$, $-\sqrt[n]{a}$	0	없다.

3. 거듭제곱근의 성질

$a>0$, $b>0$이고, m, n이 2 이상의 자연수일 때,

(1) $\sqrt[n]{a}\sqrt[n]{b}=\sqrt[n]{ab}$

(2) $\dfrac{\sqrt[n]{a}}{\sqrt[n]{b}}=\sqrt[n]{\dfrac{a}{b}}$

(3) $(\sqrt[n]{a})^m=\sqrt[n]{a^m}$

(4) $\sqrt[m]{\sqrt[n]{a}}=\sqrt[mn]{a}=\sqrt[n]{\sqrt[m]{a}}$

(5) $\sqrt[np]{a^{mp}}=\sqrt[n]{a^m}$ (단, p는 양의 정수)

4. 지수의 확장

(1) $a\neq0$이고, n이 양의 정수일 때,

① $a^0=1$

② $a^{-n}=\dfrac{1}{a^n}$

(2) $a>0$이고, m이 정수, n이 양의 정수일 때,

① $a^{\frac{1}{n}}=\sqrt[n]{a}$

② $a^{\frac{m}{n}}=\sqrt[n]{a^m}$

5. 지수법칙

$a>0$, $b>0$이고, x, y가 실수일 때,

(1) $a^xa^y=a^{x+y}$

(2) $a^x\div a^y=a^{x-y}$

(3) $(a^x)^y=a^{xy}$

(4) $(ab)^x=a^xb^x$

1-1

세 음의 실수 x, y, z를

$x=$(25의 제곱근),

$y=$(-8의 세제곱근),

$z=$(16의 네제곱근)

이라 할 때, $x+y+z$의 값을 구하시오.

O △ X

1-2

보기에서 옳은 것만을 있는 대로 고르시오.

O △ X

보기

ㄱ. 125의 실수인 세제곱근은 ± 5이다.

ㄴ. 9의 네제곱근 중 실수인 것은 $\pm\sqrt{3}$이다.

ㄷ. 네제곱근 81은 ± 3이다.

ㄹ. -27의 실수인 세제곱근은 오직 하나뿐이다.

1-3

다음 식을 간단히 하면?

O △ X

$$10^{\frac{2}{3}} \times 2^{-\frac{2}{3}} \times 5^{-\frac{1}{6}}$$

① $\sqrt{2}$ ② 2 ③ $\sqrt{5}$ ④ $\sqrt{10}$ ⑤ 5

1-4

$\sqrt{2\sqrt{2\sqrt{2}}}$ 를 간단히 하면?

O △ X

① $2^{\frac{5}{8}}$ ② $2^{\frac{7}{8}}$ ③ $2^{\frac{9}{8}}$ ④ $2^{\frac{5}{4}}$ ⑤ $2^{\frac{7}{4}}$

아름다운 샘

1-5

$(a^{3\sqrt{2}-1})^{\sqrt{2}} \times a^{\sqrt{2}} \div (\sqrt[5]{a})^{15} = a^k$일 때, 상수 k의 값을 구하시오. (단, $a>0$, $a \neq 1$)

O △ X

1-6

다음 두 수 A, B에 대하여 $\frac{B}{A}$의 값을 구하시오.

O △ X

$A=5^5+5^5+5^5+5^5+5^5$ $B=5^5 \times 5^5 \times 5^5 \times 5^5 \times 5^5$

1-7

넓이가 a인 정사각형의 한 변의 길이를 x, 부피가 a인 정육면체의 한 모서리의 길이를 y라 할 때, xy는?

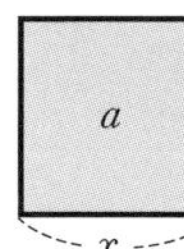

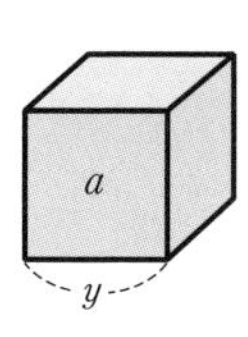

O △ X

① $a^{\frac{1}{6}}$
② $a^{\frac{5}{6}}$
③ $a^{\frac{6}{5}}$
④ $a^{\frac{5}{2}}$
⑤ a^{5}

1-8

$4^{x}=3$일 때, $\frac{2^{3x}+2^{-3x}}{2^{x}+2^{-x}}$의 값은?

O △ X

① $\frac{4}{3}$ ② $\frac{5}{3}$ ③ 2 ④ $\frac{7}{3}$ ⑤ $\frac{8}{3}$

1-9

다음 식을 간단히 하시오. (단, $a>0$)

(1) $(a^{\frac{1}{2}}+a^{-\frac{1}{2}})^2+(a^{\frac{1}{2}}-a^{-\frac{1}{2}})^2$ O △ X

(2) $(a^{\frac{1}{2}}+a^{-\frac{1}{2}})(a^{\frac{1}{4}}+a^{-\frac{1}{4}})(a^{\frac{1}{4}}-a^{-\frac{1}{4}})$ O △ X

1-10

$2^x+\frac{1}{2^x}=4$일 때, $8^x+\frac{1}{8^x}$의 값을 구하시오.

O △ X

1-11

두 실수 a, b가 다음 조건을 만족시킬 때, x의 값을 구하시오.

O △ X

(가) a는 8의 세제곱근이다.
(나) b는 -64의 세제곱근이다.
(다) $a+b$는 x의 세제곱근이다.

아름다운 샘

1-12

두 양의 실수 a, b에 대하여 연산 $*$를

$$a*b=\begin{cases} a^b & (a<b) \\ b^a & (a\geq b) \end{cases}$$

라 정의할 때, $(2*\sqrt{2})*2\sqrt{2}$의 값을 구하시오.

O △ X

1-13

다음 세 수 A, B, C의 대소를 비교하시오.

O △ X

$A=\sqrt{3}$ $B=\sqrt[3]{3\sqrt{2}}$ $C=\sqrt{2\sqrt[3]{3}}$

아름다운 샘

1-14

$x^{\frac{1}{2}}+x^{-\frac{1}{2}}=3$일 때, 다음 식의 값을 구하시오. (단, $x>0$)

(1) $x^{\frac{1}{4}}+x^{-\frac{1}{4}}$

O △ X

(2) 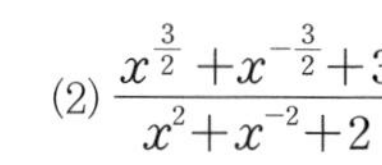

$$\frac{x^{\frac{3}{2}}+x^{-\frac{3}{2}}+3}{x^{2}+x^{-2}+2}$$

O △ X

1-15

$x=2^{\frac{1}{3}}-2^{-\frac{1}{3}}$일 때, $4x^3+12x$의 값을 구하시오.

O △ X

1-16

$x-y=2$를 만족시키는 두 실수 x, y에 대하여 $f(a)$를 다음과 같이 정의한다.

$$f(a)=(a^x+a^{-y})^2-(a^x-a^{-y})^2$$

이때, $f(2)+f(3)+f(4)$의 값을 구하시오.

O △ X

아름다운샘

1-17

$2^a=c,\ 2^b=d$일 때, $\left(\frac{1}{2}\right)^{2a+b}$과 같은 것은?

O △ X

① $\frac{1}{cd}$ ② $\frac{1}{2cd}$ ③ $\frac{1}{c^2d}$ ④ $-cd$ ⑤ $-2cd$

1-18

다음 물음에 답하시오.

(1) $2^x=3^y=5^z=a,\ \frac{1}{x}+\frac{1}{y}+\frac{1}{z}=2$일 때, a의 값을 구하시오.

O △ X

아름다운 샘

(2) $2^a=20^b=100$일 때, $\frac{1}{a}-\frac{1}{b}$의 값을 구하시오.

O △ X

1-19

$\sqrt{\frac{n}{3}}$, $\sqrt[3]{\frac{n}{5}}$, $\sqrt[5]{\frac{n}{7}}$이 모두 자연수가 되도록 하는 정수 n의 최솟값을 $3^a5^b7^c$의 꼴로 나타낼 때, $a+b+c$의 값을 구하시오. (단, a, b, c는 자연수이다.)

O △ X

아름다운 샘

1-20

어떤 생물의 개체수를 측정하기 시작하여 시각 t에서의 개체수를 $N(t)$라 할 때, 다음 관계식이 성립한다.

$$N(t)=\frac{K}{1+c\times a^{-bt}} \text{ (단, } a,\ b,\ c\text{는 양의 상수이다.)}$$

이때, K는 이 생물의 최대개체량이다. 이 생물의 개체수를 측정하기 시작하여 $t=5$일 때의 개체수는 최대개체량의 $\frac{1}{2}$이었고, $t=7$일 때의 개체수는 최대개체량의 $\frac{3}{4}$이었다. 이 생물의 개체수를 측정하기 시작하여 $t=9$일 때의 개체수를 나타내는 것은?

O △ X

① $\frac{6}{7}K$ ② $\frac{7}{8}K$ ③ $\frac{8}{9}K$ ④ $\frac{9}{10}K$ ⑤ $\frac{10}{11}K$

1-21

$x=10a+b$ (a, b는 2 이상 9 이하의 자연수)로 나타낼 수 있는 두 자리의 자연수 x에 대하여 $R(x)=$(a의 b 제곱근 중 실수의 개수)라 정의할 때,
$R(22)+R(33)+R(44)+\cdots+R(99)$의 값을 구하시오.

1-22

그림과 같이 한 변의 길이가 90인 정사각형을 네 개의 직사각형으로 나누었다. 넓이를 각각 A, B, C, D라 할 때,

$A=2^a3^b$, $B=2^{a-1}3^{b+1}$, $C=2^{2a-1}3^b$, $D=2^{a+1}3^{b+1}$

이다. 이때, A의 값을 구하시오. (단, a, b는 정수이다.)

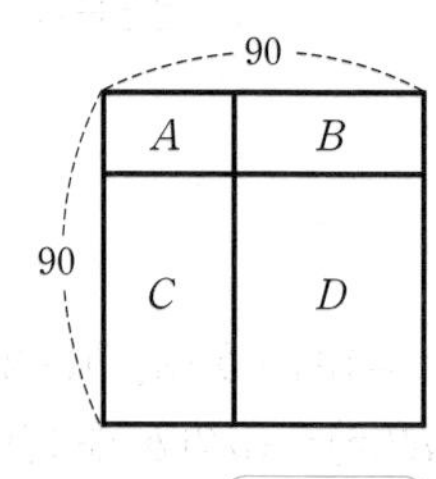

O △ X

1-23

부피가 54인 직육면체의 가로, 세로의 길이와 높이가 각각 x, y, 3일 때, $\sqrt[x]{2}\times\sqrt[y]{4}$의 최솟값을 구하시오.

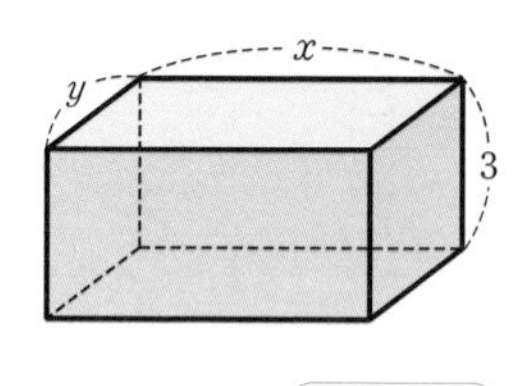

O △ X

1-24

$a>b>0$이면 $\sqrt{a+b-2\sqrt{ab}}=\sqrt{a}-\sqrt{b}$임을 이용하여 $4^{2x}=3-2\sqrt{2}$일 때, $\dfrac{2^{5x}+2^{-3x}}{2^{x}+2^{-x}}$의 값을 구하시오.

O △ X

1-25

실수 x에 대하여 $n\le x<n+1$을 만족시키는 정수 n의 값을 $f(x)$라 하자. 이때,

$$f(\sqrt[4]{1000})+f(\sqrt[5]{1000})+f(\sqrt[6]{1000})+\cdots+f(\sqrt[100]{1000})$$

의 값을 구하시오.

O △ X

1. 로그의 뜻
① 로그의 뜻

2. 로그의 성질
① 로그의 성질
② 로그의 밑의 변환
③ 로그의 여러 가지 성질

1. 로그의 정의

$a>0$, $a\neq1$, $N>0$일 때,

$a^x=N \Longleftrightarrow x=\log_a N$

2. 로그의 성질

$a>0$, $a\neq1$이고 $M>0$, $N>0$일 때,

(1) $\log_a 1=0$, $\log_a a=1$

(2) $\log_a MN=\log_a M+\log_a N$

(3) $\log_a \frac{M}{N}=\log_a M-\log_a N$

(4) $\log_a M^k=k\log_a M$ (단, k은 실수)

3. 로그의 밑의 변환 공식

a, b, c가 양수일 때,

(1) $\log_a b=\frac{\log_c b}{\log_c a}$ (단, $a\neq1$, $c\neq1$)

(2) $\log_a b=\frac{1}{\log_b a}$ (단, $a\neq1$, $b\neq1$)

4. 로그의 여러 가지 성질

a, b, c가 양수이고, $a\neq1$, $c\neq1$일 때,

(1) $\log_{a^m} b^n=\frac{n}{m}\log_a b$, $\log_{a^m} b=\frac{1}{m}\log_a b$

(2) $a^{\log_c b}=b^{\log_c a}$, $a^{\log_a b}=b$

(3) $\log_a b\times\log_b a=1$ (단, $b\neq1$)

(4) $\log_a b\times\log_b c\times\log_c a=1$ (단, $b\neq1$)

2-1

$\log_a 3=\frac{1}{2}$이고 $\log_b 9=2$일 때, $a+b$의 값을 구하시오.

O △ X

2-2

$\log_3(x-1)+\log_3(x-2)$가 정의될 때, $|x-1|+|x-2|$를 간단히 하면?

O △ X

① 3 ② $-2x$ ③ $2x-3$ ④ $2x$ ⑤ $3x-2$

2-3

다음 식의 값을 구하시오.

(1) $\log_3 12+\log_3 9-\log_3 4$ ㅇ △ X

(2) $\log_{\frac{1}{2}} 2+\log_7 \frac{1}{7}$ ㅇ △ X

(3) $\frac{1}{\sqrt[3]{8}} \times \log_3 81$

O △ X

(4) $\log_2 (4^{\frac{3}{4}} \times \sqrt{2^5})^{\frac{1}{2}}$

O △ X

아름다운 샘

2-4

$\log_3 (a+b)=2$, $\log_2 a+\log_2 b=1$일 때, a^2+b^2의 값을 구하시오. O △ X

2-5

$\log_5\left(1-\frac{1}{2}\right)+\log_5\left(1-\frac{1}{3}\right)+\log_5\left(1-\frac{1}{4}\right)+\cdots+\log_5\left(1-\frac{1}{25}\right)$의 값은? O △ X

① -2 ② -1 ③ 0 ④ 1 ⑤ 2

2-6

a, b, c, d, x, y가 양수일 때, **보기**에서 옳은 것만을 있는 대로 고르시오.

(단, $a\neq1$, $b\neq1$, $c\neq1$, $y\neq1$)

보기

ㄱ. $\log_a(x+y)=\log_a x+\log_a y$

ㄴ. $\log_a \frac{x}{y}=\frac{\log_a x}{\log_a y}$

ㄷ. $(\log_a x)^n=n\log_a x$

ㄹ. $\log_a b\times\log_b c\times\log_c d=\log_a d$

O △ X

2-7

$\log_9 8\times\log_2 25\times\log_5 3$의 값을 구하시오.

O △ X

아름다운샘

2-8

$x=\log_3 6$, $y=\log_{12} 6$일 때, $\frac{1}{x}+\frac{1}{y}$의 값을 구하시오.

O △ X

2-9

$\log_2 3=a$, $\log_2 5=b$라 할 때, $\log_2 180$을 a, b를 사용하여 나타낸 것은?

O △ X

① $a+2b$ ② $a+2b+2$ ③ $2a+b$ ④ $2a+b+1$ ⑤ $2a+b+2$

아름다운 샘

2-10

다음 등식을 만족시키는 k의 값을 구하시오.

(1) $\log_{\frac{1}{2}}\{\log_k(\log_2 512)\}=-1$

O △ X

(2) $\log_{64} 3^7=k\log_2\sqrt{3}$

O △ X

아름다운샘

2-11

모든 실수 x에 대하여 $\log_a(x^2-2ax+5a)$가 정의되도록 하는 정수 a의 개수를 구하시오.

O △ X

2-12

$10^a=x$, $10^b=y$, $10^c=z$일 때, 다음을 a, b, c로 나타내시오.

(1) $\log_{10}\frac{y^4z^3}{x^2}$

O △ X

아름다운샘

(2) $\log_{xy}\sqrt[3]{y^2z}$

O △ X

2-13

$\log_2 3=a$, $\log_3 7=b$일 때, 다음을 a, b로 나타내시오.

(1) $\log_7 6$

O △ X

아름다운샘

(2) $\log_{6} 63$

O △ X

(3) $\log_{12} \sqrt[3]{21}$

O △ X

아름다운 샘

2-14

1보다 큰 세 실수 a, b, c에 대하여 $\log_a c : \log_b c = 3 : 1$일 때, $\log_a b + \log_b a$의 값을 구하시오.

O △ X

2-15

세 수 A, B, C에 대하여 $A = 2^{\log_9 3}$, $B = \log_3 3\sqrt{3}$, $C = \log_4 8$일 때, A, B, C의 대소 관계로 옳은 것은?

O △ X

① $A < B < C$ ② $A < B = C$ ③ $B = C < A$
④ $B < C < A$ ⑤ $C < A = B$

2-16

$\log_a x=\frac{1}{2}$, $\log_b x=\frac{1}{3}$, $\log_c x=\frac{1}{4}$일 때, $\frac{1}{\log_{abc} x}$의 값을 구하시오.

O △ X

2-17

다음 식의 값을 구하시오. (단, $[x]$는 x보다 크지 않은 최대의 정수이다.)

O △ X

$$[\log_3 1]+[\log_3 2]+[\log_3 3]+[\log_3 4]+\cdots+[\log_3 100]$$

아름다운샘

2-18

$\log_3 4$의 소수 부분을 α, $\log_3 10$의 소수 부분을 β라 할 때, $3^{\alpha+\beta}$의 값을 구하시오. O △ X

2-19

이차방정식 $x^2-3x+8=0$의 두 근을 α, β라 할 때,
$\log_3(\alpha^{-1}+\beta)+\log_3(\beta^{-1}+\alpha)+\log_3 \alpha\beta$의 값은? O △ X

① 2 ② 4 ③ 6 ④ 8 ⑤ 10

아름다운 샘

2-20

세 양수 a, b, c에 대하여

$a^x=b^y=c^z=32$, $xy+yz+zx=xyz$

일 때, $\log_2 abc$의 값을 구하시오.

O △ X

STEP

연습문제

2-21

$\log_{|x|+|y|-1}(1-x^2-y^2)$의 값이 존재하도록 하는 두 실수 x, y에 대하여 점 (x, y)가 나타내는 영역의 넓이는?

O △ X

① $\pi-1$ ② $\pi-2$ ③ $2(\pi-1)$ ④ $2(\pi-2)$ ⑤ $4(\pi-1)$

아름다운 샘

2-22

삼각형의 세 변 a, b, c 사이에

$$\log_{b+c} a+\log_{b-c} a=\frac{2}{\log_a (b+c)\log_a (b-c)}$$

인 관계가 성립할 때, 이 삼각형은 어떤 모양의 삼각형인지 말하시오.

(단, $a\neq 1$, $b+c\neq 1$, $b-c\neq 1$, $b>c$)

O △ X

2-23

두 자리의 자연수 n에 대하여 $\log_2 n-[\log_2 n]$의 값이 최대가 되는 n의 값을 구하시오.

(단, $[x]$는 x보다 크지 않은 최대의 정수이다.)

O △ X

2-24

다음 조건을 만족시키는 두 자연수 a, b에 대하여 $a+b$의 최댓값을 구하시오. O △ X

(가) $10 < a < b < a^2 < 2000$ (나) $\log_a b$는 유리수이다.

2-25

양수 a에 대하여 $\log_3 a$의 음이 아닌 소수 부분을 $f(a)$라 하고, 다음 조건을 만족시키는 모든 양수 a의 값의 곱을 A라 할 때, $\log_3 A$의 값을 구하시오. O △ X

(가) $10 \le a < 100$ (나) $f\left(\frac{a}{3}\right)=f\left(\frac{3}{a}\right)$

아름다운샘

1. 상용로그의 정의

10을 밑으로 하는 로그를 상용로그라고 한다.

$\log_{10} N \Longleftrightarrow \log N$ (단, $N>0$)

2. 상용로그의 계산

양수 N에 대하여

$N=a\times 10^{n}$ (단, $1\le a<10$, n은 정수)

➡ $\log N=n+\log a$

3. 상용로그의 정수 부분과 소수 부분

임의의 양수 N에 대하여

$\log N=n+\alpha$ (n은 정수, $0\le\alpha<1$)

로 나타낼 때, n을 $\log N$의 정수 부분, α를 $\log N$의 소수 부분이라고 한다.

4. 상용로그의 성질 (1)

양수 N에 대하여

$\log N=n+\log a$ (n은 정수, $0\le\log a<1$)

이면

(1) $N>1$일 때 ➡ 진수 N은 정수 부분이 $(n+1)$자리인 수이다.

(2) $0<N<1$일 때 ➡ 진수 N은 소수점 아래 $|n|$째 자리에서 처음으로 0이 아닌 숫자가 나온다.

5. 상용로그의 성질 (2)

두 양수 M, N에 대하여

$\log M=m+\log a$, $\log N=n+\log a$ (m, n은 정수, $0\le\log a<1$)

이면 두 진수 M, N의 숫자의 배열은 같다.

6. 상용로그의 정수 부분과 소수 부분의 성질

(1) 정수 부분의 성질

① 정수 부분이 n자리인 수의 상용로그의 정수 부분은 $(n-1)$이다.

② 소수점 아래 n째 자리에서 처음으로 0이 아닌 숫자가 나타나는 수의 상용로그의 정수 부분은 $-n$이다.

(2) 소수 부분의 성질

숫자의 배열이 같고 소수점의 위치만 다른 수들의 상용로그의 소수 부분은 모두 같다.

3-1

다음 식의 값을 구하시오.

(1) $\log 100+\log 0.01+\log\sqrt{10}$ (O △ X)

(2) $\log\dfrac{1}{1000}+\log\sqrt{\sqrt[3]{10}}+\log 10000$ (O △ X)

3-2

$\log 2.19=0.3404$일 때, $\log 2190+\log 0.0219$의 값을 구하시오. (O △ X)

3-3

$\log 1.21=0.0828$일 때, **보기**에서 옳은 것만을 있는 대로 고른 것은? (O △ X)

보기

ㄱ. $\log 121$의 정수 부분은 2이다.
ㄴ. $\log 12100$의 소수 부분과 $\log 1.21$의 소수 부분은 같다.
ㄷ. $\log 0.000121$의 값은 -4.0828이다.

① ㄱ ② ㄴ ③ ㄱ, ㄴ ④ ㄱ, ㄷ ⑤ ㄱ, ㄴ, ㄷ

3-4

양수 N에 대하여

$\log N=f(N)+g(N)$ ($f(N)$은 정수, $0\leq g(N)<1$)

으로 나타낼 때, $f(4320)+f(0.215)$의 값을 구하시오. (O △ X)

3-5

x는 네 자리의 자연수이고, $\log x$의 소수 부분이 0.5132일 때, $\log x^2+\log\sqrt{x}$의 값을 구하시오.

O △ X

3-6

$\log 3.24=0.5105$일 때, $\log\sqrt[5]{x}=0.7021$을 만족시키는 x의 값을 구하시오.

O △ X

아름다운 샘

3-7

log 200의 정수 부분을 x, 소수 부분을 y라 할 때, 10^x+10^y의 값을 구하시오.

O △ X

3-8

$\log 2=0.3010$, $\log 3=0.4771$일 때, $\log\left(\frac{3}{5}\right)^{100}$의 값을 구하시오.

O △ X

아름다운샘

3-9

$\log 2=a$, $\log 3=b$일 때, $\log_5 \frac{81}{8}$을 a, b로 나타내면?

O △ X

① $\frac{4b-3a}{1-a}$ ② $\frac{4b-a}{1-a}$ ③ $\frac{3b+4a}{2-a}$ ④ $\frac{b+4a}{1+a}$ ⑤ $\frac{4b+3a}{2-a}$

3-10

정수 N에 대하여 $\log N$의 정수 부분이 2일 때, N의 최댓값과 최솟값의 합을 구하시오.

O △ X

3-11

$\log 2=0.3010$, $\log 3=0.4771$을 이용하여 세 수 6^{10}, 5^{11}, 4^{12} 사이의 대소 관계를 바르게 나타낸 것은?

O △ X

① $6^{10}<5^{11}<4^{12}$ ② $6^{10}<4^{12}<5^{11}$ ③ $5^{11}<6^{10}<4^{12}$
④ $5^{11}<4^{12}<6^{10}$ ⑤ $4^{12}<5^{11}<6^{10}$

3-12

$f(x)$를 양수 x의 상용로그의 정수 부분이라 할 때,
$f(1)+f(3)+f(5)+\cdots+f(999)$의 값을 구하시오.

O △ X

3-13

x보다 크지 않은 최대의 정수를 $[x]$라 할 때,

$\left[\log\frac{1}{300}\right]+\left[\log\frac{1}{20}\right]+[\log 200]+[\log 3000]$의 값을 구하시오.

O △ X

3-14

정수 부분이 세 자리 수인 양수 k의 상용로그의 정수 부분과 소수 부분이 이차방정식 $x^2-px+5-2p=0$의 두 근일 때, p의 값을 구하시오.

O △ X

아름다운샘

3-15

$3 \le \log x < 4$이고 $\log x$와 $\log \sqrt{x}$의 소수 부분의 합이 $\frac{3}{5}$이다. 이때, $\log \sqrt{x}$의 소수 부분의 값은?

O △ X

① $\frac{1}{3}$　② $\frac{2}{5}$　③ $\frac{7}{15}$　④ $\frac{8}{15}$　⑤ $\frac{2}{3}$

3-16

한 자리의 두 자연수 x, y에 대하여 x, y, 8을 세 변의 길이로 하는 삼각형을 만들 때, x, y는 다음 조건을 만족시킨다.

> (가) $\log y$의 소수 부분은 $\log x$의 소수 부분의 2배이다.
> (나) $x+y=12$

이때, xy의 값을 구하시오.

O △ X

3-17

$\log 2=0.3010$, $\log 3=0.4771$일 때, 6^{30}의 최고 자리의 숫자를 구하시오.

O △ X

3-18

$\left(\frac{2}{3}\right)^{20}$은 소수점 아래 a째 자리에서 처음으로 0이 아닌 숫자가 나타나고, 그 처음의 숫자는 b이다. 이때, $a+b$의 값을 구하시오. (단, $\log 2=0.3010$, $\log 3=0.4771$로 계산한다.)

O △ X

3-19

7^{100}이 85자리의 수일 때, 7^{50}은 몇 자리의 수인가?

O △ X

① 41자리 ② 42자리 ③ 43자리 ④ 44자리 ⑤ 45자리

3-20

어느 작업장에서 먼지의 양이 $1\,\mathrm{m}^3$ 당 $200\,\mu\mathrm{g}$ $(1\,\mu\mathrm{g}=10^{-6}\mathrm{g})$이 되면 자동으로 가동되기 시작하는 먼지 제거 장치가 있다. 이 장치가 가동되기 시작하고 t초 후 $1\,\mathrm{m}^3$ 당 먼지의 양 $x(t)$는

$$x(t)=20+180\times 3^{-\frac{t}{256}}\ (\mu\mathrm{g}/\mathrm{m}^3)$$

이라고 한다. 먼지 제거 장치가 가동되기 시작하고 n초 후 작업장의 $1\,\mathrm{m}^3$ 당 먼지의 양이 $50\mu\mathrm{g}$이 되었다고 할 때, n의 값을 구하시오. (단, $\log 2=0.30$, $\log 3=0.48$로 계산한다.)

O △ X

3-21

두 자리의 자연수 N에 대하여 $\log N$의 소수 부분이 α일 때,

$$\frac{1}{2}-2\alpha=\log_4 \frac{N}{2}-\log N^2$$

을 만족시키는 N의 값을 구하시오.

O △ X

3-22

두 자연수 x, y에 대하여 $\log x$, $\log y$의 정수 부분을 각각 m, n이라 하자. $m^2+n^2=5$를 만족시키는 x, y에 대하여 순서쌍 (x, y)의 개수를 구하시오.

O △ X

3-23

$\log x$의 소수 부분이 0이 아닐 때, $\log x-[\log x]=2\left(\log\frac{1}{x}-\left[\log\frac{1}{x}\right]\right)$을 만족시키는 양수 x에 대하여 $\log x^k$의 소수 부분을 $f(k)$라 하자.

이때, $f(1)+f(2)+f(3)+\cdots+f(300)$의 값을 구하시오.

(단, $[x]$는 x보다 크지 않은 최대의 정수이다.)

O △ X

3-24

양수 x에 대하여 $\log x$의 정수 부분과 소수 부분을 각각 $f(x)$, $g(x)$라 하자. 다음 조건을 만족시키는 모든 x의 값의 곱을 k라 할 때, $3\log k$의 값을 구하시오.

O △ X

(가) $f(x)+3g(x)$의 값은 정수이다.
(나) $f(x)+f(x^2)=6$

아름다운샘

1. 지수함수의 뜻과 그래프
   ① 지수함수의 뜻
   ② 지수함수의 그래프
   ③ 지수함수의 그래프의 평행이동
   ④ 지수함수의 그래프의 대칭이동
   ⑤ 지수함수의 최대 · 최소

2. 로그함수의 뜻과 그래프
   ① 로그함수의 뜻
   ② 로그함수의 그래프
   ③ 지수함수의 그래프와 로그함수의 그래프의 관계
   ④ 로그함수의 그래프의 평행이동
   ⑤ 로그함수의 그래프의 대칭이동
   ⑥ 로그함수의 최대 · 최소

핵심 Point

1. 지수함수와 로그함수의 뜻

(1) $a>0$, $a\neq1$일 때, 실수 x에 대하여 a^x을 대응시키는 함수

$$y=a^x$$

을 a를 밑으로 하는 지수함수라고 한다.

(2) $a>0$, $a\neq1$일 때, 양의 실수 x에 대하여 $y=a^x$의 역함수

$$y=\log_a x$$

를 a를 밑으로 하는 로그함수라고 한다.

2. 지수함수 $y=a^x$ ($a>0$, $a\neq1$)의 성질

(1) 정의역은 실수 전체의 집합이고, 치역은 양의 실수 전체의 집합이다.

(2) 그래프는 점 $(0,\ 1)$을 지난다.

(3) 그래프의 점근선은 x축이다.

(4) $a>1$일 때, x의 값이 증가하면 y의 값도 증가한다.
$0<a<1$일 때, x의 값이 증가하면 y의 값은 감소한다.

$a>1$

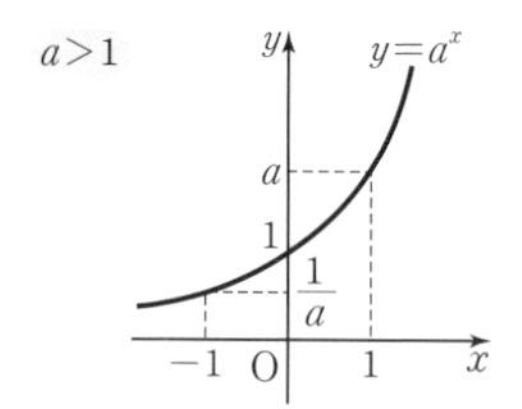

$0<a<1$

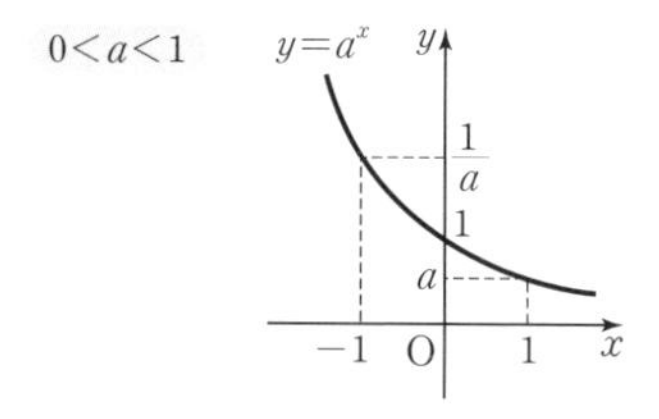

3. 로그함수 $y=\log_a x$ ($a>0$, $a\neq1$)의 성질

(1) 정의역은 양의 실수 전체의 집합이고, 치역은 실수 전체의 집합이다.

(2) 그래프는 점 $(1,\ 0)$을 지난다.

(3) 그래프의 점근선은 y축이다.

(4) $a>1$일 때, x의 값이 증가하면 y의 값도 증가한다.
$0<a<1$일 때, x의 값이 증가하면 y의 값은 감소한다.

$a>1$

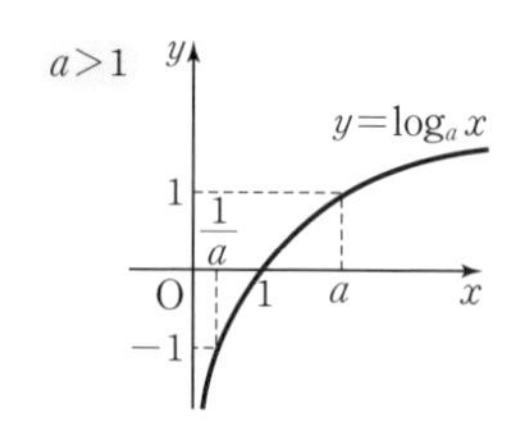

$0<a<1$

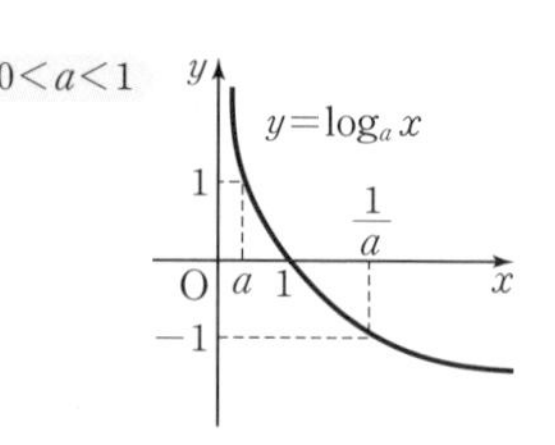

아름다운 샘

4-1

함수 $y=a^x$ $(a>1)$의 그래프가 그림과 같을 때, $a+k$의 값은?

① 1 ② 2 ③ 3
④ 4 ⑤ 5

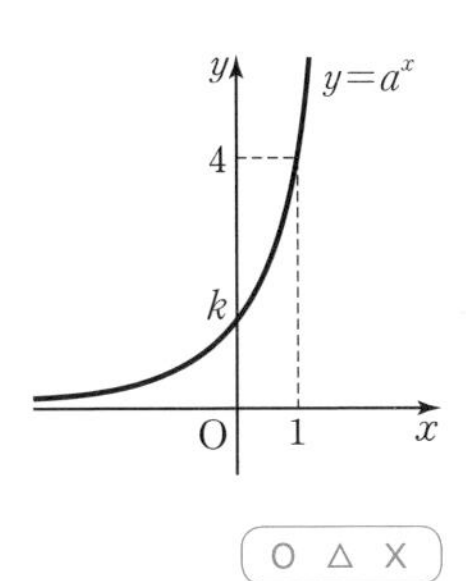

O △ X

4-2

함수 $y=3^{-x+a}+\beta$의 그래프가 점 $(1,\ -2)$를 지나고, 점근선이 직선 $y=-5$일 때, $a^2+\beta^2$의 값을 구하시오.

O △ X

4-3

함수 $y=5^{x-2}+4$의 그래프는 함수 $y=5^{x}$의 그래프를 x축의 방향으로 m만큼, y축의 방향으로 n만큼 평행이동한 것이다. 이때, $m+n$의 값을 구하시오.

O △ X

4-4

지수함수를 이용하여 다음 세 수 A, B, C의 대소를 비교하시오.

O △ X

$$A=\frac{1}{3^2},\qquad B=\frac{1}{\sqrt[3]{3}},\qquad C=\sqrt[5]{\frac{1}{3}}$$

아름다운샘

4-5

함수 $y=\left(\frac{4}{5}\right)^{x}$ $(-1\leq x\leq 2)$의 최댓값을 M, 최솟값을 m이라 할 때, Mm의 값을 구하시오.

O △ X

4-6

함수 $y=\log_{2}(x-3)$의 정의역이 $\{x|5\leq x\leq 19\}$일 때, 치역이 $\{y|a\leq y\leq b\}$이다. 이때, $a+b$의 값을 구하시오.

O △ X

아름다운 샘

4-7

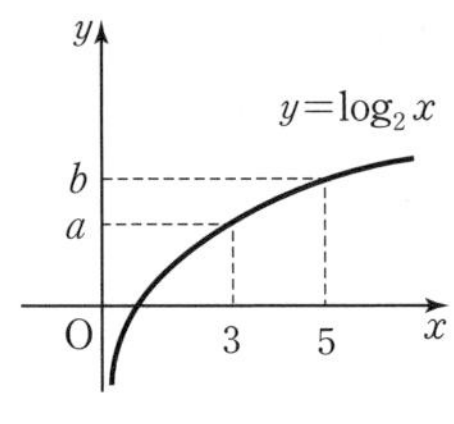

그림은 $y=\log_2 x$의 그래프이다. 이 그래프에서 $\log_2(2^a+2^b)$의 값은?

① $\sqrt{2}$　② $2\sqrt{2}$　③ 3
④ 4　⑤ $3\sqrt{2}$

O △ X

4-8

함수 $y=(\log_2 x)^2-\log_2 x^2-3$이 $x=a$에서 최솟값 b를 갖는다고 할 때, ab의 값을 구하시오. (단, $x>0$)

O △ X

아름다운 샘

4-9

함수 $f(x)=\left(\frac{1}{2}\right)^x$에 대하여 $(f\circ g)(x)=x$를 만족시키는 함수 g가 있다. $g(8)$의 값은?

O △ X

① -3 ② -2 ③ 0 ④ 2 ⑤ 3

4-10

함수 $y=\log_3(x-2)+1$의 역함수가 $y=a^{x+b}+c$일 때, 세 상수 a, b, c의 합 $a+b+c$의 값을 구하시오.

O △ X

아름다운샘

4-11

그림은 지수함수 $y=\left(\frac{1}{2}\right)^x$ 의 그래프를 평행이동한 것이다. 이 그래프가 나타내는 함수의 식으로 알맞은 것은?

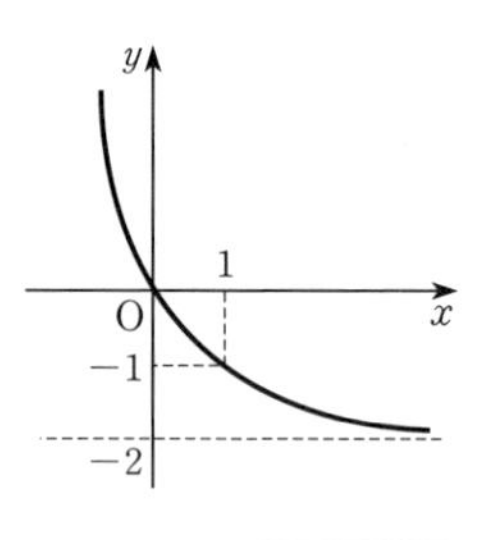

① $y=2^{-x+1}-2$
② $y=2^{-x-1}-2$
③ $y=2^{-x+1}-1$
④ $y=2^{-x-1}+2$
⑤ $y=2^{-x+1}+2$

O △ X

4-12

좌표평면 위의 그래프 $A=\{(x, y)\mid y=2^x\}$에 대한 **보기**의 설명 중에서 옳은 것만을 있는 대로 고르시오.

O △ X

보기

ㄱ. $(a, b)\in A$이면 $(a+1,\ 2b)\in A$이다.
ㄴ. $(a, b)\in A$이면 $(2a,\ b^2)\in A$이다.
ㄷ. $(a, b)\in A$이면 $\left(-a, \frac{1}{b}\right)\in A$이다.

4-13

함수 $y=\left(\frac{1}{2}\right)^{x^2-4x+2}$ $(-1\le x\le 3)$의 최댓값을 M, 최솟값을 m이라 할 때, Mm의 값을 구하시오.

O △ X

4-14

함수 $y=4^x+4^{-x}+4(2^x+2^{-x})-2$의 최솟값을 구하시오.

O △ X

아름다운 샘

4-15

두 곡선 $y=16^x$, $y=8^x$과 직선 $y=4$의 교점을 각각 P, Q라 하자. 두 점 P, Q의 x좌표를 각각 a, b라 할 때, $\dfrac{a+b}{ab}$의 값을 구하시오.

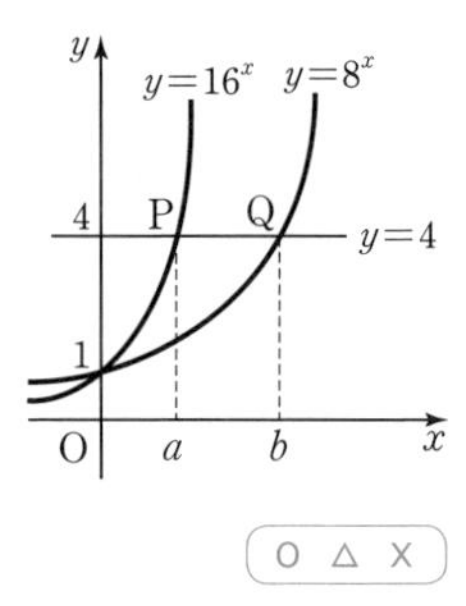

O △ X

4-16

보기의 함수 중에서 함수 $y=\log_2(x-1)+3$의 그래프를 평행이동 또는 대칭이동하여 얻을 수 있는 것만을 있는 대로 고른 것은? (단, 평행이동과 대칭이동은 여러 번 반복할 수 있다.)

O △ X

보기

ㄱ. $y=\log_2\sqrt{2}x$　　ㄴ. $y=3\log_2(x+2)$　　ㄷ. $y=2^{x+1}-5$

① ㄱ　② ㄴ　③ ㄷ　④ ㄱ, ㄴ　⑤ ㄱ, ㄷ

아름다운 샘

4-17

다음 물음에 답하시오.

(1) $x>1$일 때, 함수 $y=\log_2 x+\log_x 16$의 최솟값을 구하시오.

(2) 두 함수 $f(x)=\log_{\frac{1}{2}} x$, $g(x)=x^2-2x+3$에 대하여 $y=(f\circ g)(x)$의 최댓값을 구하시오.

O △ X

4-18

함수 $y=\log_3 x$의 그래프를 x축의 방향으로 a만큼, y축의 방향으로 2만큼 평행이동한 그래프를 나타내는 함수를 $y=f(x)$라 하자. 함수 f의 역함수가 $f^{-1}(x)=3^{x-2}+4$일 때, 상수 a의 값을 구하시오.

O △ X

4-19

그림은 함수 $f(x)=2^x$의 그래프와 역함수 $y=f^{-1}(x)$의 그래프이다. 두 점 A, C는 $y=f^{-1}(x)$의 그래프 위의 점이고, 두 점 B, D는 $y=f(x)$의 그래프 위의 점이다. 점 D의 좌표를 $(a,\ b)$라 할 때, $\log_2 ab$의 값을 구하시오.

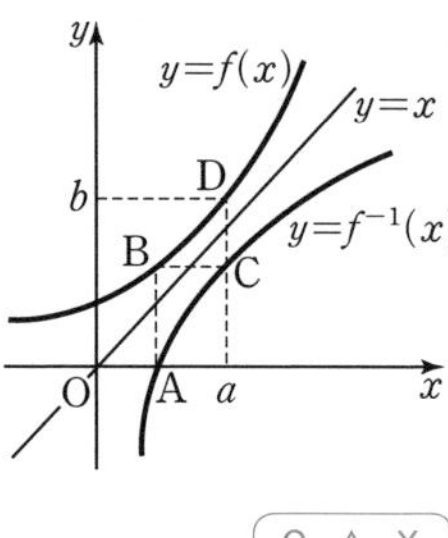

O △ X

4-20

그림에서 사각형 ABCD는 한 변의 길이가 4인 정사각형이고, 두 점 A, E는 곡선 $y=\log_2 x$ 위의 점이다. 변 CD가 x축 위에 있을 때, 선분 BE의 길이를 구하시오.

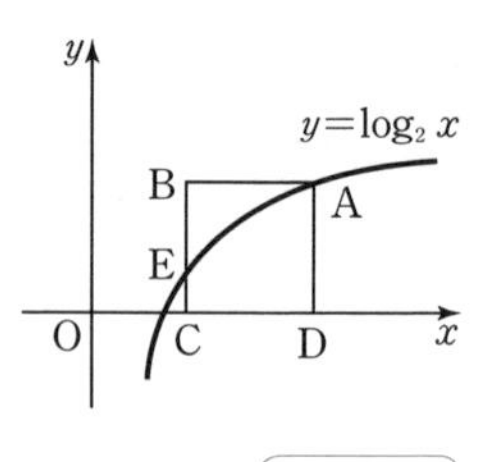

O △ X

4-21

점 (a, b)가 직선 $y=-x+1$ 위를 움직일 때, $y=2^{2a}+2^{2b}+2^{a+1}+2^{b+1}+2^2$의 최솟값을 구하시오.

O △ X

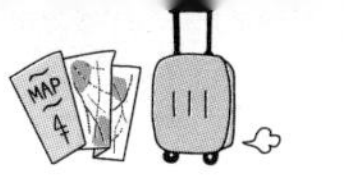

4-22

$0<a<b<1$일 때, **보기**에서 옳은 것만을 있는 대로 고르시오.

O △ X

보기

ㄱ. $\log_b a>1$

ㄴ. $\log_{b+1}(a+1)=k$이면 $k<k^2$이다.

ㄷ. 임의의 두 양수 c, d에 대하여 $\log_a c=\log_b d$이면 $c<d$이다.

4-23

좌표평면에서 두 곡선 $y=|\log_2 x|$와 $y=\left(\frac{1}{2}\right)^x$이 만나는 두 점을 $\mathrm{P}(x_1, y_1)$, $\mathrm{Q}(x_2, y_2)$ $(x_1<x_2)$라 하고, 두 곡선 $y=|\log_2 x|$와 $y=2^x$이 만나는 점을 $\mathrm{R}(x_3, y_3)$이라 하자. **보기**에서 옳은 것만을 있는 대로 고르시오.

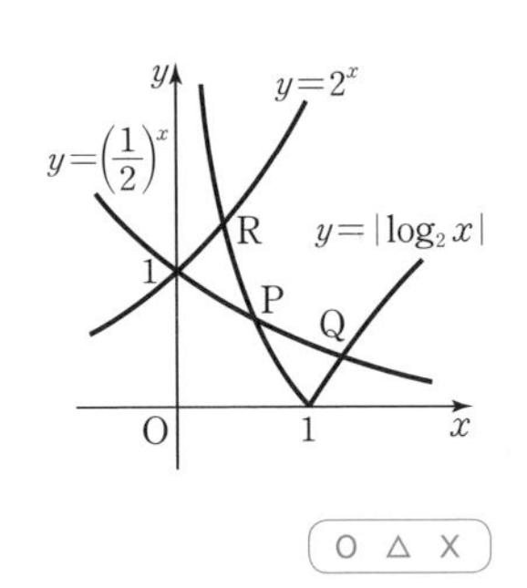

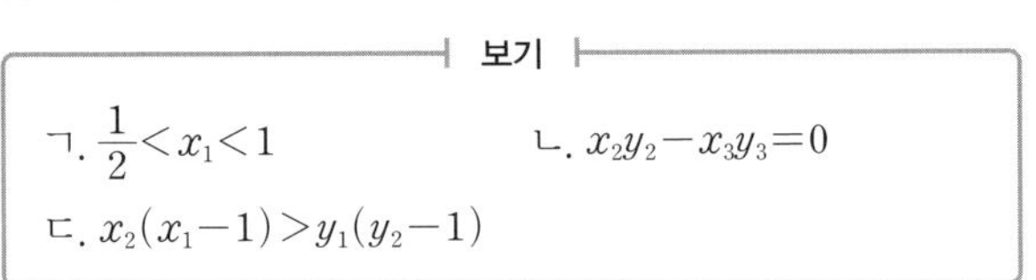

보기

ㄱ. $\frac{1}{2}<x_1<1$ ㄴ. $x_2y_2-x_3y_3=0$

ㄷ. $x_2(x_1-1)>y_1(y_2-1)$

O △ X

4-24

좌표평면에서 자연수 n에 대하여 집합 $\{(x, y) \mid 2^x-n\leq y\leq \log_2 (x+n)\}$에 속하는 점 중 다음 조건을 만족시키는 점의 개수를 $f(n)$이라 하자.

(가) x좌표와 y좌표는 서로 같다.
(나) x좌표와 y좌표는 모두 정수이다.

예를 들어 $f(1)=2$, $f(2)=4$이다. $f(3)+f(10)+f(20)$의 값을 구하시오.

O △ X

1. 지수방정식
① 밑을 같게 하는 경우
② 밑이 같지 않은 경우
③ 지수가 같은 경우
④ $a^x=t$로 치환하는 경우

2. 지수부등식
① 밑을 같게 하는 경우
② 밑이 같지 않은 경우
③ $a^x=t$로 치환하는 경우

1. 지수방정식의 풀이

(1) 밑을 같게 할 수 있을 때,
$a^{f(x)}=a^{g(x)}$ $(a>0,\ a\neq1)$의 꼴로 정리한 다음 $f(x)=g(x)$를 푼다.

(2) 밑이 같지 않을 때,
$a^{f(x)}=b^{g(x)}$ $(a>0,\ a\neq1,\ b>0,\ b\neq1,\ a\neq b)$의 꼴로 정리한 다음
양변에 상용로그를 취하여 $\log a^{f(x)}=\log b^{g(x)}$을 푼다.

(3) 지수가 같을 때,
$a^{f(x)}=b^{f(x)}$ $(a>0,\ a\neq1,\ b>0,\ b\neq1)$의 꼴일 때에는 밑이 같거나
지수가 0이다. 즉, $a=b$ 또는 $f(x)=0$이다.

(4) 항이 3개 이상일 때,
$a^x=t$ $(t>0)$로 치환하여 t에 대한 방정식을 푼다.

2. 지수부등식의 성질

$a^{x_1}<a^{x_2}$일 때,
(1) $a>1$이면 $x_1<x_2$
(2) $0<a<1$이면 $x_1>x_2$

$a>1$

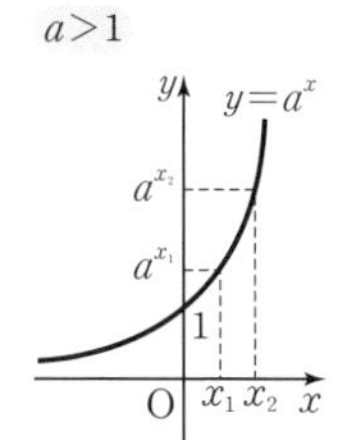

$0<a<1$

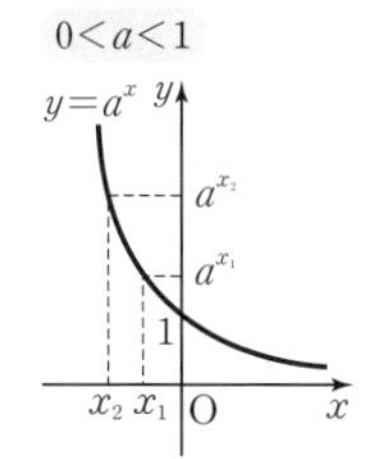

3. 지수부등식의 풀이

(1) 밑을 같게 할 수 있을 때,
$a>1$일 때, $a^{f(x)}<a^{g(x)} \iff f(x)<g(x)$
$0<a<1$일 때, $a^{f(x)}<a^{g(x)} \iff f(x)>g(x)$
를 이용하여 해를 구한다.

(2) 밑이 같지 않을 때,
$a^{f(x)}<b^{g(x)}$ $(a>0,\ a\neq1,\ b>0,\ b\neq1,\ a\neq b)$의 꼴로 정리한 다음
양변에 상용로그를 취하여 $\log a^{f(x)}<\log b^{g(x)}$을 푼다.

(3) 항이 3개 이상일 때,
$a^x=t$ $(t>0)$로 치환하여 t에 대한 부등식을 푼다.

5-1

다음 방정식을 푸시오.

(1) $\left(\frac{1}{9}\right)^x=\sqrt{3}$ O △ X

(2) $8^{2x+3}=4\times\sqrt[3]{2}$ O △ X

5-2

방정식 $3^{x^2-x}=\left(\frac{1}{27}\right)^{x-1}$을 만족시키는 양수 x의 값을 구하시오.

O △ X

5-3

그림과 같이 함수 $y=4^{x-1}$의 그래프와 직선 $y=\sqrt[3]{16}$의 교점을 $\mathrm{P}(\alpha, \sqrt[3]{16})$이라 할 때, α의 값을 구하시오.

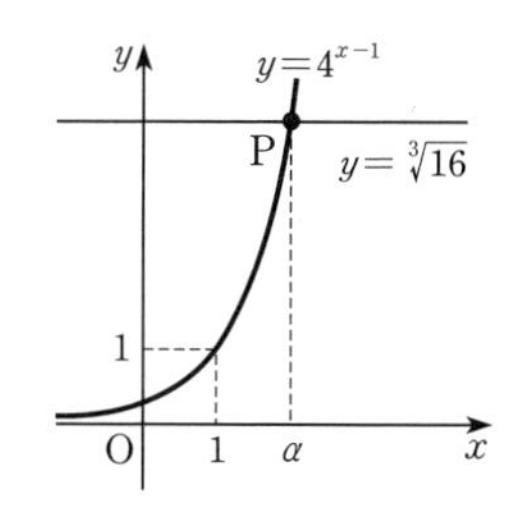

O △ X

아름다운 샘

5-4

방정식 $4^x-3\times2^{x+1}+8=0$의 두 근을 α, β라 할 때, $\alpha^2+\beta^2$의 값을 구하시오.

O △ X

5-5

방정식 $3^x+3^{4-x}=82$를 만족시키는 모든 실근의 합을 구하시오.

O △ X

아름다운 샘

5-6

다음 부등식을 푸시오.

(1) $\left(\frac{1}{3}\right)^{x-2} \geq \left(\frac{1}{9}\right)^{2-x}$

O △ X

(2) $\left(\frac{1}{4}\right)^{x^2} > (\sqrt{2})^{8x}$

O △ X

아름다운 샘

5-7

두 부등식 $\frac{1}{8}<2^x<\frac{1}{2}$, $4<\left(\frac{1}{2}\right)^x<16$을 동시에 만족시키는 x의 값의 범위를 구하시오.

O △ X

5-8

다음 부등식을 푸시오.

(1) $3^{x+1}+3^{2-x}-28<0$

O △ X

아름다운샘

(2) $\frac{2}{4^x}-\frac{5}{2^x}+2<0$

5-9

모든 실수 x에 대하여 부등식 $4^x-2\times2^{x+1}-k>0$이 항상 성립하도록 하는 정수 k의 최댓값은?

O △ X

① -6　② -5　③ -4　④ -3　⑤ -2

아름다운샘

5-10

질량이 200 g인 어떤 박테리아 군집의 t시간 후 질량 $p(t)$ g은

$p(t)=200\times4^{kt}$ (k는 상수)

으로 나타내어진다고 한다. 이 박테리아 군집의 질량이 1600 g이 될 때까지 3시간이 걸렸다면 상수 k의 값을 구하시오.

O △ X

5-11

다음 방정식 또는 부등식을 푸시오. (단, $x>0$)

(1) $x^{2x}=x^{6-x}$

O △ X

(2) $x^{x^2}=x^{2x+3}$

O △ X

(3) $x^{2x+1}>x^5$

(4) $x^{x^2-2}\leq x^{4x+3}$

5-12

방정식 $5^{2x}=2^{4-2x}$의 해를 $x=\alpha$라 할 때, 10^{α}의 값을 구하시오.

5-13

방정식 $4^x-2^{x+2}+k=0$의 서로 다른 두 근의 합이 3일 때, 상수 k의 값을 구하시오. O △ X

5-14

연립방정식 $\begin{cases} x+y=4 \\ 2^x+2^y=10 \end{cases}$ 을 만족시키는 두 실수 x, y에 대하여 x^3+y^3의 값을 구하시오.

O △ X

아름다운샘

5-15

방정식 $9^x-2\times3^{x+1}+k=0$이 서로 다른 두 개의 양의 실근을 갖도록 하는 실수 k의 값의 범위를 $\alpha<k<\beta$라 할 때, $\alpha+\beta$의 값을 구하시오.

O △ X

5-16

두 함수 $y=f(x)$와 $y=g(x)$의 그래프가 그림과 같을 때, 부등식 $\left(\frac{1}{2}\right)^{f(x)}>\left(\frac{1}{2}\right)^{g(x)}$의 해를 구하시오.

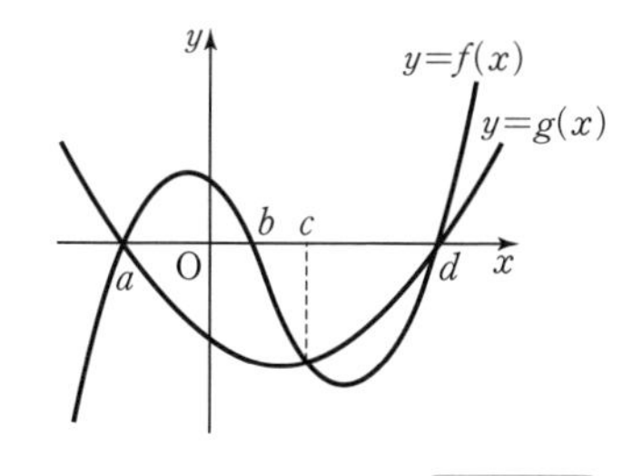

O △ X

아름다운샘

5-17

모든 실수 x에 대하여 부등식 $-1\leq 4^x-2^{x+1}\leq 48$의 해집합을 S라 할 때, 다음 중 옳은 것은?

O △ X

① $S\subset\{x\mid -5\leq x\leq 0\}$ ② $S\supset\{x\mid 0\leq x\leq 3\}$ ③ $S\subset\{x\mid 0\leq x\leq 5\}$
④ $S\supset\{x\mid x\leq 5\}$ ⑤ $S\subset\{x\mid x<-4\}$

5-18

부등식 $a^{2x}-4a^{x+2}+4>0$을 만족시키는 x의 값의 범위가 $x<\alpha$ 또는 $x>\beta$일 때, $\alpha+\beta=6$이 되도록 하는 양수 a의 값을 구하시오. (단, $a>1$)

O △ X

5-19

모든 실수 x에 대하여 부등식 $9^x+9^{-x}-2(3^x+3^{-x})+k\geq 0$이 성립하도록 하는 실수 k의 최솟값을 구하시오.

O △ X

5-20

샘연구소의 올해 연구비는 5억 원이고, 앞으로 해마다 연구비를 3%씩 증가시키기로 하였다. 연구비가 처음으로 8억 원이 넘게 되는 것은 몇 년 후부터인지 구하시오.

(단, $\log 2=0.3010$, $\log 1.03=0.0128$로 계산한다.)

O △ X

아름다운 샘

5-21

모든 실수 x에 대하여 부등식 $2^{2x}-a\times 2^{x+1}+3-2a>0$이 성립할 때, 실수 a의 값의 범위는?

O △ X

① $a>-1$　② $-1<a<2$　③ $a<1$
④ $0<a<2$　⑤ $a<2$

5-22

부등식 $(x^2-6x+9)^{x-3}\leq 1$을 만족시키는 모든 자연수 x의 개수를 구하시오. (단, $x\neq 3$)

O △ X

5-23

방정식 $2^{[3x]}=mx$가 $0\le x\le 1$에서 서로 다른 세 실근을 갖도록 하는 모든 정수 m의 값의 합을 구하시오. (단, $[x]$는 x보다 크지 않은 최대의 정수이다.)

O △ X

5-24

좌표평면 위의 두 곡선 $y=|9^x-3|$과 $y=2^{x+k}$이 만나는 서로 다른 두 점의 x좌표를 x_1, x_2 $(x_1<x_2)$라 할 때, $x_1<0$, $0<x_2<2$를 만족시키는 모든 자연수 k의 값의 합을 구하시오.

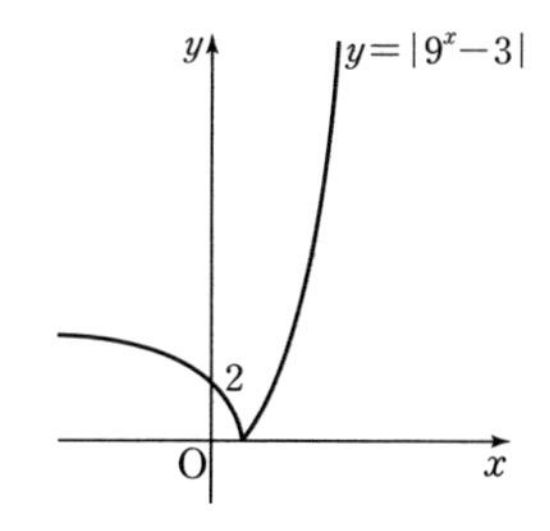

O △ X

5-25

당분을 소화시켜 알코올을 생산하는 이스트는 생산된 알코올에 의해 죽게 된다. 200g의 어떤 이스트가 발효를 시작한 지 t시간 후의 양 $A(t)$g은

$$A(t)=100(1+r^{-\frac{t}{50}})\ (0<r<100)$$

으로 나타내어진다고 한다. 발효를 시작한 지 10시간 후의 이스트의 양이 5시간 후의 이스트의 양의 $\frac{13}{15}$배가 될 때, r의 값을 구하시오.

O △ X

아름다운 샘

1. 로그방정식
① 밑이 같은 경우
② 밑이 다른 경우
③ $\log_a x = t$로 치환하는 경우
④ 지수에 $\log_a x$를 포함한 경우

2. 로그부등식
① 밑을 같게 하는 경우
② $\log_a x = t$로 치환하는 경우
③ 지수에 $\log_a x$를 포함한 경우

1. 로그방정식의 풀이

(1) 밑이 같을 때,
$\log_a f(x) = \log_a g(x) \iff f(x) = g(x)$ (단, $f(x) > 0$, $g(x) > 0$, $a > 0$, $a \neq 1$)

(2) 밑이 다를 때,
로그의 성질이나 밑의 변환 공식을 이용하여 밑을 같게 한 후 방정식을 푼다.

(3) $\log_a x$의 꼴이 반복될 때,
$\log_a x = t$로 치환하여 t에 대한 방정식을 푼다.

(4) 지수에 $\log_a x$를 포함할 때,
양변에 a를 밑으로 하는 로그를 취하여 방정식을 푼다.

2. 로그부등식의 성질

$\log_a x_1 < \log_a x_2$ $(x_1 > 0,\ x_2 > 0)$일 때,
(1) $a > 1$이면 $x_1 < x_2$
(2) $0 < a < 1$이면 $x_1 > x_2$

$a > 1$

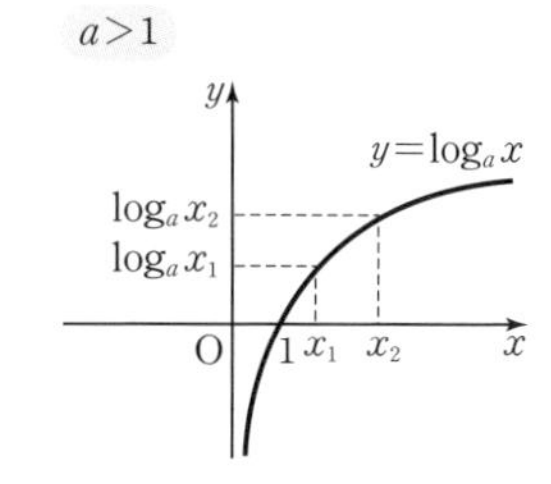

$0 < a < 1$

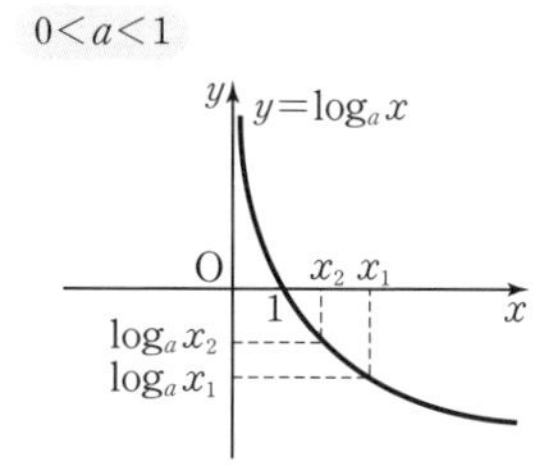

3. 로그부등식의 풀이

(1) 밑을 같게 할 수 있을 때,
① $a > 1$일 때, $\log_a f(x) < \log_a g(x) \iff f(x) < g(x)$
② $0 < a < 1$일 때, $\log_a f(x) < \log_a g(x) \iff f(x) > g(x)$
를 이용하여 해를 구한다.

(2) $\log_a x$의 꼴이 반복될 때,
$\log_a x = t$로 치환하여 t에 대한 부등식을 푼다.

(3) 지수에 $\log_a x$를 포함할 때,
양변에 a를 밑으로 하는 로그를 취하여 부등식을 푼다.

6-1

다음 방정식을 푸시오.

(1) $\log_2 x=2+\log_2 (x-3)$

O △ X

(2) $\log_3 (x-3)=\log_9 (x-1)$

O △ X

6-2

다음 두 방정식을 만족시키는 a, b에 대하여 $a+b$의 값을 구하시오.

O △ X

(가) $\log_{a+3} 9=1$	(나) $\log_2 (b-2)=a-7$

6-3

방정식 $\log_3 (5-x)-\log_{\frac{1}{3}} (5+x)=2$를 만족시키는 모든 실수 x의 값의 곱을 구하시오.

O △ X

6-4

방정식 $(\log_2 x)^2-\log_2 x^2=3$의 두 근을 α, β라 할 때, $\alpha\beta$의 값을 구하시오.

O △ X

6-5

연립방정식 $\begin{cases}\log_3 x^3-\log_5 y=1\\ \log_3 x+\log_5 y^2=5\end{cases}$의 해가 $x=\alpha$, $y=\beta$일 때, $\alpha+\beta$의 값을 구하시오.

O △ X

6-6

다음 부등식을 푸시오.

(1) $\log_2 (2x-1) < 1$ 　O △ X

(2) $\log_{\frac{1}{2}} (x-1) + \log_{\frac{1}{2}} (x+2) \geq -2$ 　O △ X

아름다운 샘

(3) $\log_{\sqrt{2}} x < \log_2 (x+2)$

O △ X

6-7

두 이차함수 $y=f(x)$와 $y=g(x)$의 그래프가 그림과 같을 때, 부등식 $\log_{0.1} f(x) > \log_{0.1} g(x)$의 해는?

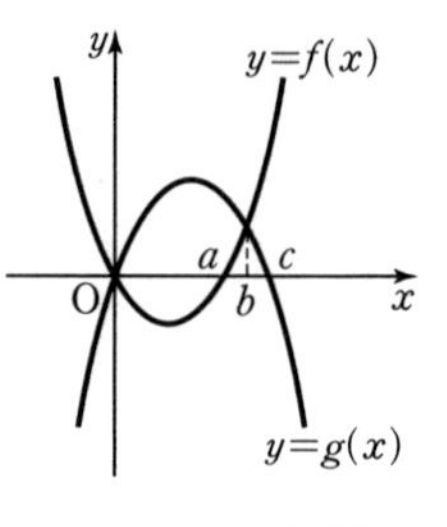

① $0<x<b$
② $a<x<b$
③ $b<x<c$
④ $x<0,\ x>b$
⑤ $x<a,\ x>c$

O △ X

6-8

부등식 $\log_2 (x^2-4x+7) \le 2$를 만족시키는 모든 정수 x의 값의 합을 구하시오. ○ △ X

6-9

부등식 $(\log_2 x)^2 - \log_2 x^5 + 4 < 0$의 해가 $a < x < b$일 때, $b-a$의 값을 구하시오. ○ △ X

아름다운 샘

6-10

지구로부터 거리가 l인 별의 겉보기등급을 a, 절대등급을 b라 할 때, l, a, b 사이에는

$$\log l = \frac{1}{5}(a-b)+1$$

인 관계가 성립한다고 한다. 별 A는 지구로부터의 거리가 l_1, a와 b의 차가 10이고, 별 B는 지구로부터의 거리가 l_2, a와 b의 차가 5라 할 때, $\frac{l_1}{l_2}$의 값을 구하시오. (단, $a>b$)

O △ X

연습문제

6-11

다음 방정식을 푸시오.

(1) $\log_3 x + \log_x 9 = 3$

O △ X

(2) $\log_2 x + \log_8 x = 2\log_2 x \times \log_8 x$

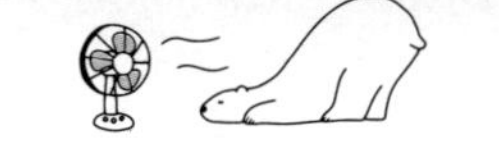

6-12

x에 대한 방정식 $x^{\log x} = \sqrt{1000x}$의 모든 해의 곱을 구하시오.

O △ X

6-13

두 함수

$y=\log_2(x+1)$, $y=\log_4(x+4)+1$

의 그래프가 그림과 같고, 교점 P의 좌표를 (a, b)라 할 때, $a+b=\log_2 \alpha$를 만족시키는 α의 값을 구하시오.

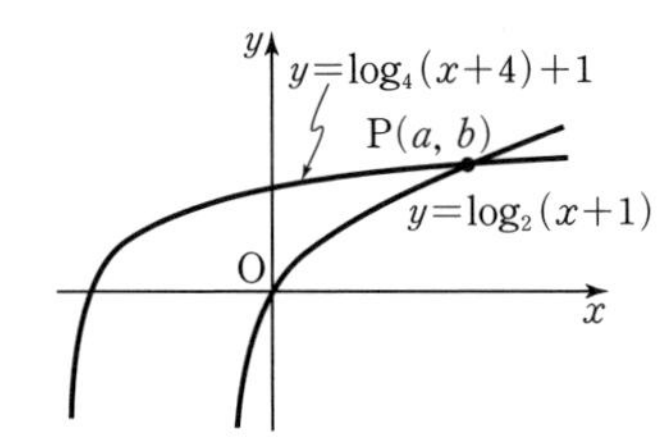

O △ X

6-14

x에 대한 방정식 $(\log_3 x)^2+k\log_3 x-5=0$의 두 근의 곱이 9일 때, 상수 k의 값을 구하시오.

O △ X

아름다운 샘

6-15

부등식 $\log_2 x+\log_2(6-x)>k$의 해가 $2<x<4$일 때, 상수 k의 값을 구하시오. O △ X

6-16

부등식 $\log_a(2-x)<\log_a(x+3)+1$의 해가 $-2<x<2$일 때, 양수 a의 값을 구하시오.

(단, $a\neq1$)

O △ X

아름다운샘

6-17

연립부등식 $\begin{cases} \log_3 |x-3| < 4 \\ \log_2 x + \log_2 (x-2) \ge 3 \end{cases}$ 의 해가 $a \le x < b$일 때, $a+b$의 값을 구하시오.

O △ X

6-18

부등식 $\log_2 (x^2-kx+10) \ge 3$이 모든 실수 x에 대하여 항상 성립할 때, 상수 k의 최솟값은?

O △ X

① $-2\sqrt{2}$ ② $-\sqrt{2}$ ③ 0 ④ $\sqrt{2}$ ⑤ $2\sqrt{2}$

아름다운 샘

6-19

$\frac{1}{2}<x<1$, $y>1$일 때, 부등식 $\log_x(\log_y 2x)<0$이 나타내는 영역의 넓이를 S라 하자. 이때, $100S$의 값을 구하시오.

O △ X

6-20

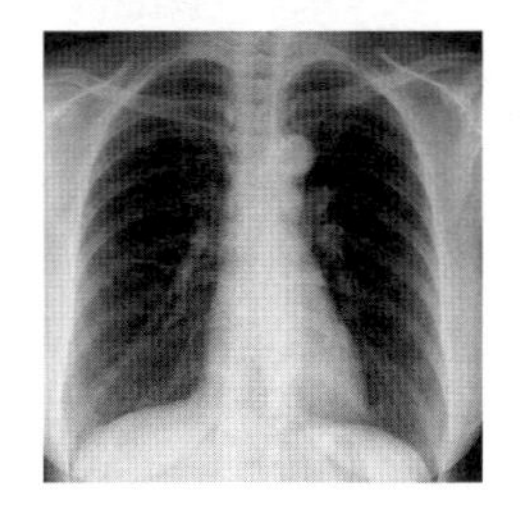

X선 사진에서 사진 농도는 사진에 나타난 상의 검은 정도를 표시하는 양이고, 투과도는 처음 쏘인 빛의 양에 대한 투과된 빛의 양의 비율이다. 사진 농도를 D, 투과도를 T라 할 때, $D=-\log T$의 식이 성립한다. 사진 농도가 $\frac{1}{2}$ 이상인 부분에 투과된 빛의 양은 처음 쏘인 빛의 양의 최대 몇 배인지 구하시오.

O △ X

아름다운 샘

6-21

부등식 $|\log_2 m - \log_2 12| + \log_2 n \le 2$를 만족시키는 두 자연수 m, n의 순서쌍 (m, n)의 개수를 구하시오. ○ △ X

6-22

두 실수 a, b에 대하여 x에 대한 이차방정식 $x^2+ax+b=0$의 두 실근을 α, β라 하면 $\log(\alpha+\beta)=\log\alpha+\log\beta$인 관계가 성립한다. 이때, a의 최댓값은? ○ △ X

① 3 ② 2 ③ 1 ④ -2 ⑤ -4

6-23

그림은 두 함수 $y=f(x)$, $y=g(x)$의 그래프이다. $0<x<e$에서 부등식 $\log_{f(x)} g(x)>1$을 만족시키는 x의 값의 범위는?

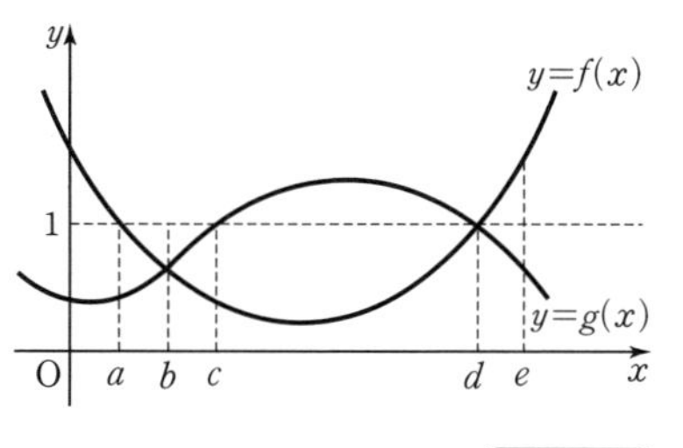

① $0<x<a$　② $a<x<b$
③ $b<x<c$　④ $c<x<d$
⑤ $d<x<e$

O △ X

6-24

그림과 같이 함수 $y=2^x$의 그래프 위의 한 점 A를 지나고 x축에 평행한 직선이 함수 $y=15\times2^{-x}$의 그래프와 만나는 점을 B라 하자. 점 A의 x좌표를 a라 할 때, $1<\overline{AB}<100$을 만족시키는 2 이상의 자연수 a의 개수를 구하시오.

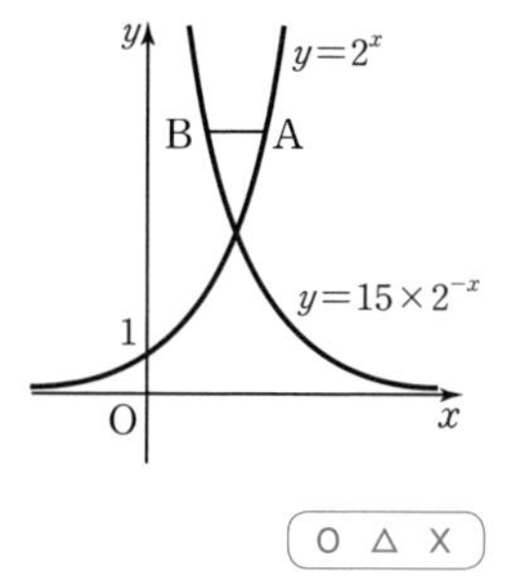

O △ X

1. 일반각과 호도법
   ① 일반각
   ② 호도법
   ③ 부채꼴의 호의 길이와 넓이

2. 삼각함수
   ① 삼각비
   ② 삼각함수의 정의
   ③ 삼각함수의 값의 부호

3. 삼각함수 사이의 관계
   ① 삼각함수 사이의 관계

1. 일반각의 뜻

$\angle$XOP의 크기 중 하나를 α°라 할 때,

$\angle XOP = 360^\circ \times n + \alpha^\circ$ (n은 정수)

로 나타내어지는 $\angle$XOP의 크기를 동경 OP가 나타내는 일반각이라고 한다.

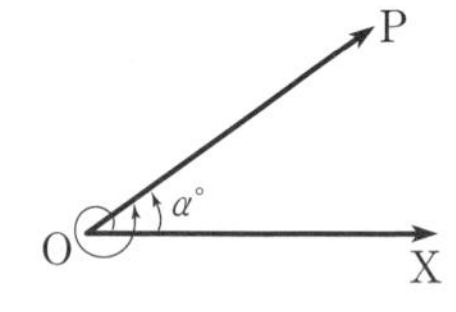

2. 육십분법과 호도법 사이의 관계

(1) 1라디안$=\dfrac{180^\circ}{\pi}$

(2) $1^\circ = \dfrac{\pi}{180}$ 라디안

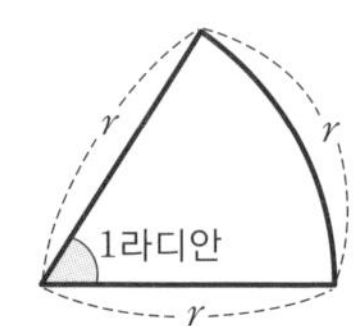

3. 부채꼴의 호의 길이와 넓이

반지름의 길이가 r, 중심각의 크기가 θ인 부채꼴의 호의 길이를 l, 넓이를 S라 하면

$l = r\theta,\ S = \dfrac{1}{2}r^2\theta = \dfrac{1}{2}rl$

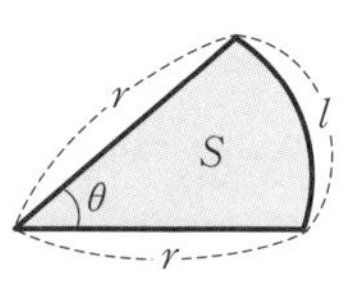

4. 삼각함수의 정의

(1) $\sin\theta = \dfrac{y}{r}$

(2) $\cos\theta = \dfrac{x}{r}$

(3) $\tan\theta = \dfrac{y}{x}$

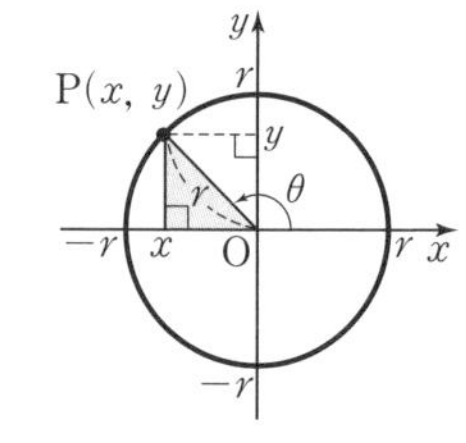

5. 삼각함수 사이의 관계

(1) $\tan\theta = \dfrac{\sin\theta}{\cos\theta}$

(2) $\sin^2\theta + \cos^2\theta = 1$

7-1

30°와 동경이 일치하는 것을 **보기**에서 있는 대로 고르시오. (O △ X)

보기

ㄱ. 420°　ㄴ. 750°　ㄷ. −300°　ㄹ. 1860°　ㅁ. 4350°

7-2

다음 중 나머지 넷과 같은 사분면의 각이 아닌 것은? (O △ X)

① 130°　② 500°　③ 880°　④ −280°　⑤ −200°

7-3

다음에서 육십분법으로 나타낸 각은 호도법으로, 호도법으로 나타낸 각은 육십분법으로 나타내시오.

(1) $80°$

O △ X

(2) $400°$

O △ X

(3) $-\frac{7}{6}\pi$

O △ X

(4) $-\frac{7}{3}\pi$

O △ X

아름다운샘

(5) π

O △ X

(6) 5

O △ X

7-4

중심각의 크기가 $\frac{\pi}{3}$인 부채꼴의 넓이가 $12\pi\,\text{cm}^2$일 때, 이 부채꼴의 반지름의 길이 r와 호의 길이 l을 구하시오.

O △ X

아름다운샘

7-5

원점 O와 점 P$(-5,\ -12)$를 지나는 동경 OP가 나타내는 각의 크기를 θ라 할 때, $13\sin\theta+13\cos\theta+5\tan\theta$의 값을 구하시오.

O △ X

7-6

$\frac{\pi}{2}<\theta<\pi$일 때, 다음을 간단히 하시오.

O △ X

$$\sqrt{(\cos\theta-\sin\theta)^2}-\sqrt{(\tan\theta+\cos\theta)^2}-\sqrt{\sin^2\theta}$$

7-7

$\sin\theta\cos\theta<0$, $\cos\theta\tan\theta>0$을 동시에 만족시키는 각 θ가 존재하는 사분면은? O △ X

① 제 1 사분면 ② 제 2 사분면 ③ 제 3 사분면
④ 제 4 사분면 ⑤ 제 2, 4 사분면

7-8

$\sin\theta=\frac{3}{5}$일 때, $5\cos\theta-4\tan\theta$의 값을 구하시오. $\left(\text{단, } \frac{\pi}{2}<\theta<\pi\right)$ O △ X

아름다운 샘

7-9

각 θ가 제2사분면의 각이고 $\frac{1}{\sin^2\theta}+\frac{1}{\cos^2\theta}=\frac{9}{2}$일 때, $\sin\theta\cos\theta$의 값은?

O △ X

① $-\frac{\sqrt{3}}{2}$ ② $-\frac{2}{3}$ ③ $-\frac{1}{2}$ ④ $-\frac{\sqrt{2}}{3}$ ⑤ $-\frac{1}{3}$

7-10

$\tan\theta+\frac{1}{\tan\theta}=4$일 때, $\sin\theta\cos\theta$의 값을 구하시오.

O △ X

7-11

각 θ를 나타내는 동경과 각 4θ를 나타내는 동경이 일치할 때, 각 θ의 크기를 구하시오.

$\left(\text{단, } \frac{\pi}{2}<\theta<\pi\right)$

O △ X

7-12

두 각 α, β의 동경이 직선 $y=x$에 대하여 대칭일 때, 다음 중 $\alpha+\beta$가 될 수 있는 각의 크기는?

O △ X

① $\frac{\pi}{6}$　② $\frac{\pi}{4}$　③ $\frac{\pi}{3}$　④ $\frac{\pi}{2}$　⑤ π

아름다운 샘

7-13

그림과 같이 반지름의 길이가 1, 중심각의 크기가 $60°$인 부채꼴에 원이 내접하고 있다. 이때, 색칠한 부분의 넓이를 구하시오.

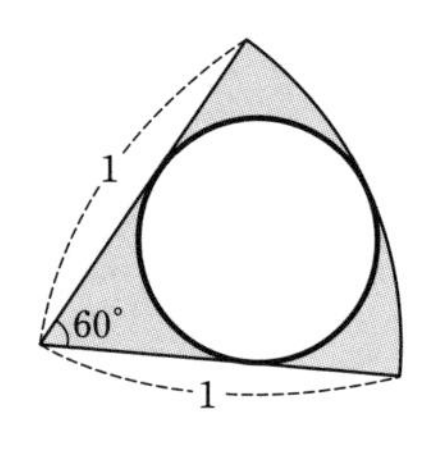

O △ X

7-14

길이가 16인 철사로 넓이가 최대인 부채꼴을 만들 때, 이 부채꼴의 반지름의 길이를 구하시오.

O △ X

7-15

그림과 같이 직선 $y=-\frac{4}{3}x$가 x축의 양의 방향과 이루는 각의 크기를 θ라 할 때, $5(\sin\theta-\cos\theta)+3\tan\theta$의 값을 구하시오.

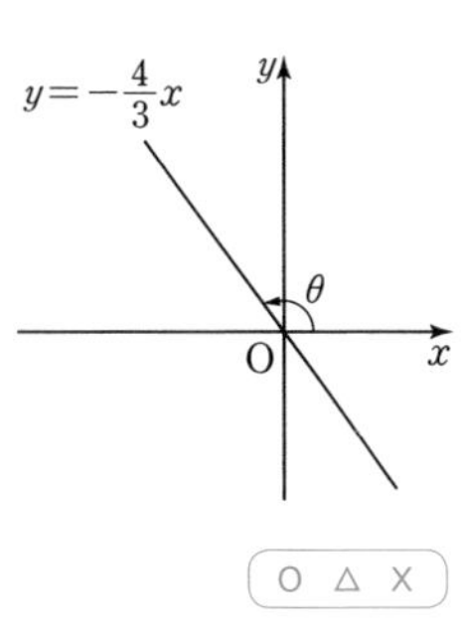

O △ X

7-16

각 θ가 제2사분면의 각이고 $\frac{\sin\theta}{\tan\theta}+\cos\theta\tan\theta=-\frac{1}{5}$일 때, $\sin^2\theta-\cos^2\theta$의 값을 구하시오.

O △ X

아름다운샘

7-17

각 θ가 제4사분면의 각이고 $\frac{\sin\theta}{1+\cos\theta}+\frac{1+\cos\theta}{\sin\theta}=-3$일 때, $\cos\theta$의 값을 구하시오.

O △ X

7-18

이차방정식 $x^2-2\sqrt{2}kx+4k=0$의 두 근이 $\frac{1}{\sin\theta}$, $\frac{1}{\cos\theta}$일 때, 상수 k의 값을 구하시오.

O △ X

아름다운샘

7-19

이차방정식 $x^2-ax+a=0$의 두 실근을 $\sin\theta$, $\cos\theta$라 할 때, $\dfrac{1}{\sin^3\theta+\cos^3\theta}$의 값을 구하시오. (단, $a<0$)

O △ X

7-20

중심이 O이고 반지름의 길이가 R인 구면거울이 있다. 그림과 같이 OX축에 평행하게 입사된 빛이 거울에 반사된 후 축과 만나는 점을 A라 할 때, 선분 OA의 길이는?

(단, 입사각과 반사각의 크기는 θ로 같고, $0^\circ<\theta<20^\circ$이다.)

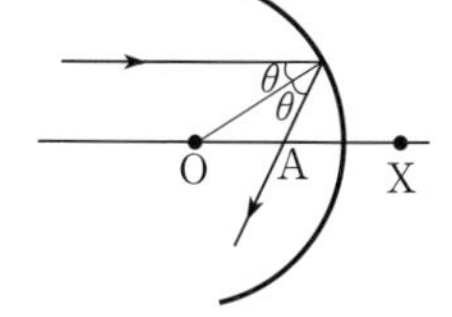

① $\dfrac{R}{2\cos\theta}$ ② $\dfrac{R}{2\sin\theta}$ ③ $R(1-\cos\theta)$

④ $\dfrac{R}{2\cos 2\theta}$ ⑤ $\dfrac{R}{2\sin 2\theta}$

O △ X

7-21

각 θ는 제3사분면의 각이고 각 $\frac{\theta}{2}$는 제2사분면의 각일 때, 각 $\frac{\theta}{4}$는 제 몇 사분면의 각인지 구하시오.

O △ X

7-22

원점을 중심으로 하는 단위원 위에 두 점 P, Q가 있다. x축의 양의 방향을 시초선으로 하는 두 동경 OP, OQ에 대한 각의 크기를 각각 x, y라 하자. 두 점 P, Q를 원점을 중심으로 각각 $\frac{\pi}{6}$, $-\frac{\pi}{6}$만큼 회전시키면 두 동경이 반대쪽으로 일직선이 된다. 이때, $x-y$의 값을 구하시오.

(단, $0<x<2\pi$, $0<y<2\pi$, $x>y$)

O △ X

아름다운 샘

7-23

그림의 부채꼴 OAB는 반지름의 길이와 부채꼴의 호의 길이가 같다. 점 B에서 선분 OA에 내린 수선의 발 H에 대하여 $\overline{BH}=4$일 때, 부채꼴 AOB의 넓이는?

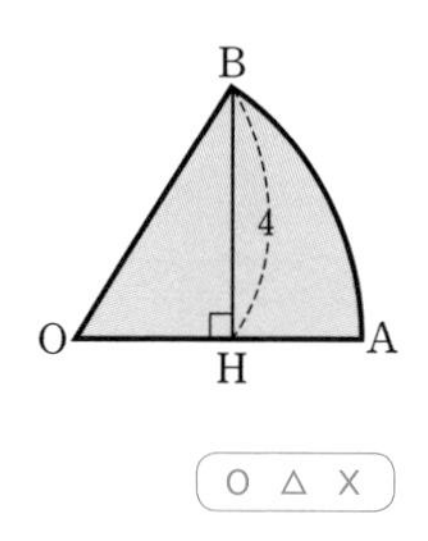

① 4　② 4π　③ 8π　④ $\dfrac{8}{\sin^2 1}$　⑤ $\dfrac{4\pi}{\sin^2 1}$

7-24

반지름의 길이가 30인 구 위의 한 점 N에 길이가 5π인 실의 한쪽 끝을 고정한다. 실을 팽팽하게 유지하면서 구의 표면을 따라 실의 나머지 한쪽 끝을 한 바퀴 돌렸을 때, 구의 표면에 생기는 실 끝의 자취의 길이를 l이라 하자. $\dfrac{l}{\pi}$의 값을 구하시오.

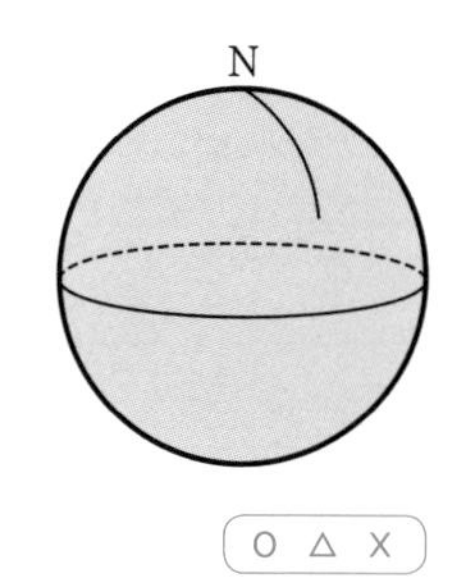

1. 삼각함수의 그래프
   ① $y=\sin\theta$의 그래프
   ② $y=\cos\theta$의 그래프
   ③ $y=\sin x$, $y=\cos x$의 성질
   ④ $y=a\sin x$, $y=a\cos x$의 그래프
   ⑤ $y=\sin bx$, $y=\cos bx$의 그래프
   ⑥ $y=a\sin bx$, $y=a\cos bx$의 그래프
   ⑦ $y=a\sin b(x-m)+n$,
   $y=a\cos b(x-m)+n$의 그래프
   ⑧ $y=\tan\theta$의 그래프
   ⑨ $y=a\tan bx$의 그래프
2. 삼각함수의 그래프의 이해
   ① $2n\pi+\theta$의 삼각함수
   ② $-\theta$의 삼각함수
   ③ $\pi+\theta$, $\pi-\theta$의 삼각함수
   ④ $\frac{\pi}{2}+\theta$, $\frac{\pi}{2}-\theta$의 삼각함수
3. 삼각방정식과 삼각부등식
   ① 삼각방정식
   ② 삼각부등식

1. $y=\sin x$의 그래프

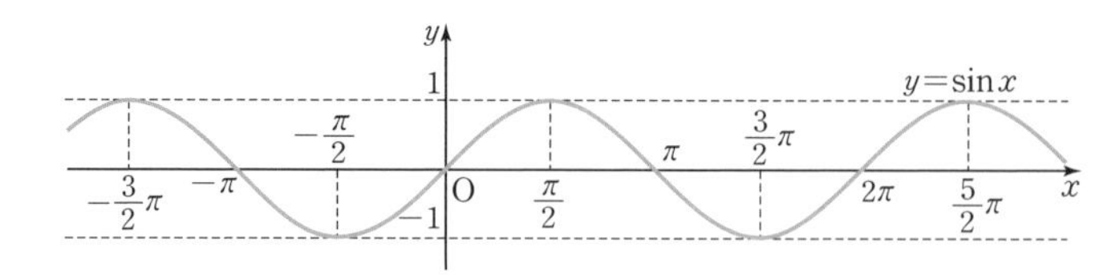

2. $y=\cos x$의 그래프

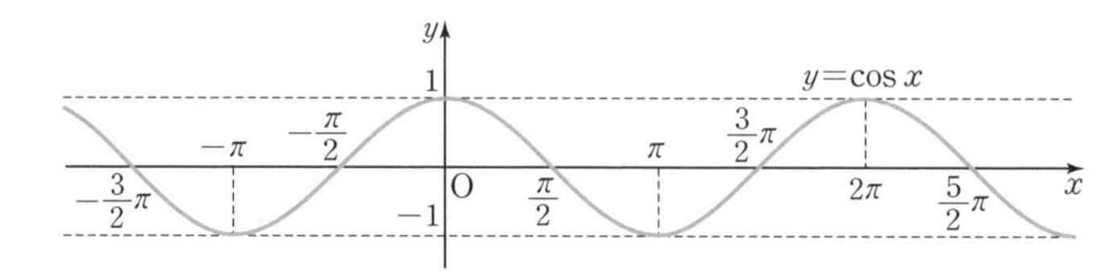

3. $y=\tan x$의 그래프

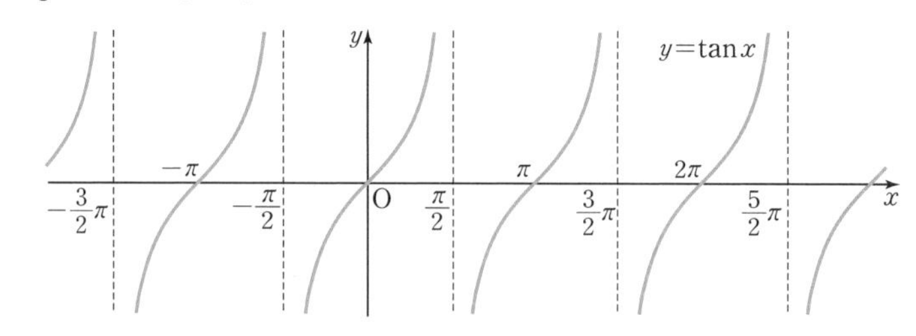

4. $y=a\sin b(x-m)+n$, $y=a\cos b(x-m)+n$의 그래프

최댓값: $|a|+n$, 최솟값: $-|a|+n$, 주기: $\frac{2\pi}{|b|}$

5. $y=a\tan b(x-m)+n$의 그래프

최댓값과 최솟값은 없다, 주기: $\frac{\pi}{|b|}$

6. 삼각방정식의 풀이

① 주어진 방정식을 $\sin x=k$ (또는 $\cos x=k$, $\tan x=k$)의 꼴로 고친다.
② 삼각함수 $y=\sin x$ (또는 $y=\cos x$, $y=\tan x$)의 그래프와 직선 $y=k$의 교점의 x좌표가 구하는 삼각방정식의 해이다.

7. 삼각부등식의 풀이

삼각방정식과 마찬가지로 그래프를 이용하여 푼다.

8-1

다음 함수의 최댓값을 a, 주기를 p라 할 때, $a+p$의 값을 구하시오.

(1) $y=3\sin 2x-1$

O △ X

(2) $y=-\cos \pi x+1$

O △ X

8-2

함수 $y=a\sin bx$의 그래프가 그림과 같을 때, 두 상수 a, b의 합 $a+b$의 값을 구하시오. (단, $b>0$)

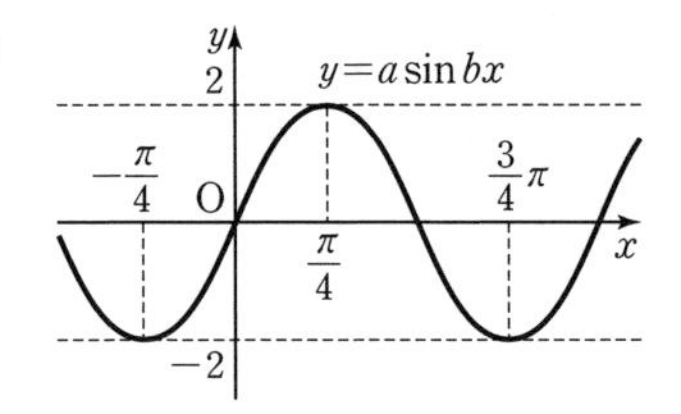

O △ X

8-3

$y=\sin x$의 그래프를 x축의 방향으로 $\frac{\pi}{2}$만큼 평행이동한 후 y축에 대하여 대칭이동한 그래프의 식은?

O △ X

① $y=\sin x$ ② $y=\cos x$ ③ $y=\tan x$
④ $y=-\sin x$ ⑤ $y=-\cos x$

아름다운샘

8-4

$\cos\left(\frac{\pi}{2}-\theta\right)+\sin(\pi+\theta)+\cos(-\theta)$를 간단히 하면?

O △ X

① $-\sin\theta$　② $-\cos\theta$　③ $\sin\theta$　④ $\cos\theta$　⑤ $\tan\theta$

8-5

삼각형 ABC에서 다음 중 $\cos\frac{B+C}{2}$와 항상 같은 것은?

O △ X

① $\sin A$　② $\cos A$　③ $\tan A$　④ $\sin\frac{A}{2}$　⑤ $\cos\frac{A}{2}$

8-6

다음 방정식을 푸시오. (단, $0 \le x < 2\pi$)

(1) $2\sin x + \sqrt{2} = 0$

O △ X

(2) $2\cos x - \sqrt{3} = 0$

O △ X

아름다운 샘

8-7

$0<x<2\pi$에서 방정식 $2\cos^2 x-\sin x-1=0$을 만족시키는 모든 x의 값의 합을 구하시오.

O △ X

8-8

다음 부등식을 만족시키는 θ의 값의 범위를 구하시오. (단, $0\leq\theta<2\pi$)

(1) $\sqrt{3}-2\sin\theta>0$

O △ X

(2) $\sin\theta > \cos\theta$

O △ X

8-9

$0 \le x < 2\pi$일 때, 부등식 $2\cos^2 x + 3\sin x - 3 > 0$을 푸시오.

O △ X

아름다운샘

8-10

부등식 $\cos^2\theta-3\cos\theta-a+9\geq0$이 모든 θ에 대하여 항상 성립하도록 하는 실수 a의 값의 범위는?

O △ X

① $a\leq9$ ② $a\leq7$ ③ $a\geq5$
④ $a\geq0$ ⑤ $-1\leq a\leq9$

연습문제

8-11

모든 실수 x에 대하여 $f(x+\pi)=f(x)$를 만족시키는 함수를 **보기**에서 있는 대로 고르시오.

O △ X

보기

ㄱ. $f(x)=\sin x$
ㄴ. $f(x)=\cos 2x$
ㄷ. $f(x)=\frac{1}{2}\cos 4x$
ㄹ. $f(x)=\sqrt{2}\tan 2x$

아름다운샘

8-12

함수 $f(x)=2\cos\left(\frac{2\pi}{3}x-a\right)+1$ $(0<a<\pi)$의 그래프가 그림과 같을 때, **보기**에서 옳은 것만을 있는 대로 고르시오.

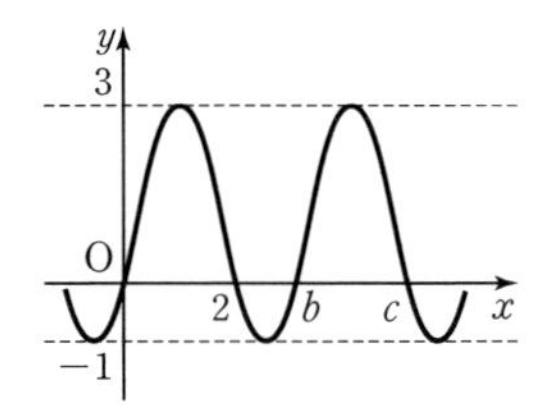

O △ X

보기

ㄱ. $y=f(x)$의 주기는 3이다.

ㄴ. $b+c=9$

ㄷ. $y=f(x)$의 그래프는 $y=2\cos\frac{2\pi}{3}x+1$의 그래프를 x축의 방향으로 1만큼 평행이동한 것이다.

8-13

함수 $f(x)=a\cos bx+c$의 최댓값이 3, 주기가 $\frac{\pi}{2}$이고 $f\left(\frac{\pi}{12}\right)=2$일 때, $a+b$의 값을 구하시오. (단, a, b, c는 상수이고, $a>0$, $b>0$)

O △ X

8-14

그림은 함수 $f(x)=\sin x$의 그래프이다. 이때, $f(x_1+x_2+x_3)$의 값은?

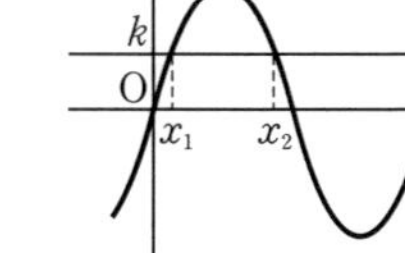

① $-k$ ② $-\frac{1}{k}$ ③ $\frac{1}{k}$

④ k ⑤ $2k$

O △ X

8-15

다음 식의 값을 구하시오.

(1) $\cos 10^\circ+\cos 20^\circ+\cos 30^\circ+\cdots+\cos 170^\circ+\cos 180^\circ$

O △ X

아름다운 샘

(2) $\sin^2 10^\circ + \sin^2 20^\circ + \sin^2 30^\circ + \cdots + \sin^2 80^\circ + \sin^2 90^\circ$

O △ X

8-16

함수 $y=2\sin^2 x+4\cos x+k$의 최솟값이 -3일 때, 최댓값을 구하시오.

O △ X

아름다운샘

8-17

함수 $y=\dfrac{|\sin x|}{|\sin x|+1}$의 치역이 $\{y\,|\,a\le y\le b\}$일 때, 두 실수 a, b의 합 $a+b$의 값을 구하시오.

O △ X

8-18

$0\le x<2\pi$에서 등식 $\tan x=2\sin x$를 만족시키는 모든 x의 값의 합을 구하시오.

O △ X

8-19

$0 \le x < \pi$일 때, 부등식 $\sin\left(2x-\frac{\pi}{3}\right) > \frac{\sqrt{3}}{2}$을 만족시키는 x의 값의 범위를 구하시오.

O △ X

8-20

함수 $y=f(x)$의 그래프가 그림과 같을 때, 방정식 $f(\cos x)=0$의 서로 다른 실근의 개수를 구하시오. (단, $0 \le x \le 2\pi$)

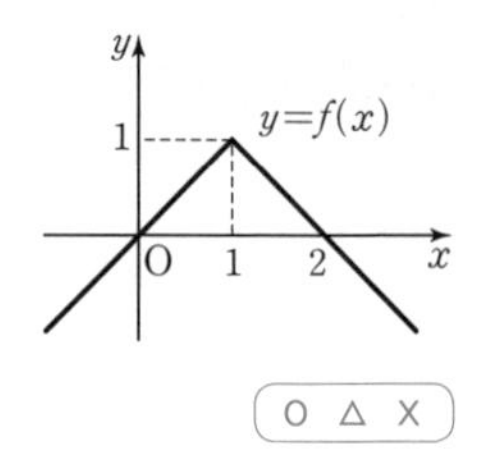

O △ X

아름다운 샘

8-21

함수 $f(x)=3\sin(-2x)$에 대하여 세 실수 a, b, c가 다음 조건을 만족시킨다.

(가) $-\frac{\pi}{4}<a<b<c<\frac{\pi}{4}$　　(나) $f(a)+f(b)+f(c)=0$

보기에서 옳은 것만을 있는 대로 고르시오.

O △ X

보기

ㄱ. 함수 $y=f(x)$의 그래프는 원점에 대하여 대칭이다.
ㄴ. $f(a)<0$
ㄷ. $2b=a+c$이면 $f(b)=0$이다.

8-22

그림과 같이 좌표평면 위의 두 점 A$(1, 0)$, B$(2, 0)$을 이은 선분을 한 변으로 하는 정사각형 ABCD를 점 B를 중심으로 시계 방향으로 θ만큼 회전시켰다. 점 C가 이동한 점을 C$'$이라 할 때, 선분 OC$'$의 길이를 구하시오. $\left(\text{단, } 0\le\theta\le\frac{\pi}{2}\right)$

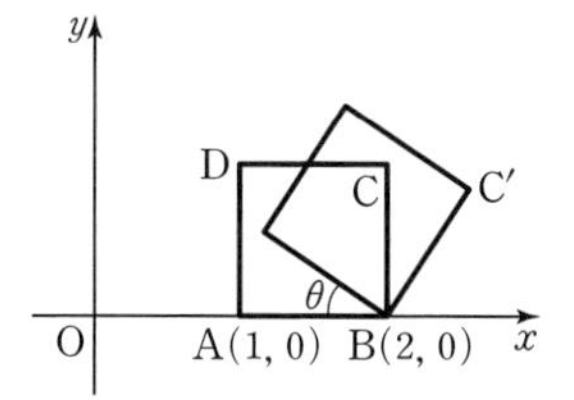

O △ X

8-23

$\sin\theta<0$, $\cos\theta<0$을 만족시키는 각 θ에 대하여 **보기**에서 옳은 것만을 있는 대로 고르시오.

O △ X

보기

ㄱ. $\tan\theta>0$

ㄴ. $\cos\frac{\theta}{2}\sin 2\theta<0$

ㄷ. $\pi<\theta<\frac{3}{2}\pi$일 때, 등식 $6\sin^2 2\theta+\cos 2\theta=5$를 만족시키는 θ의 값은 모두 2개이다.

8-24

$-\frac{\pi}{2}<x<\frac{\pi}{2}$인 모든 실수 x에 대하여 부등식 $\tan^4 x+1\geq a\tan^2 x$가 성립하도록 하는 양수 a의 최댓값을 구하시오.

O △ X

아름다운 샘

1. 사인법칙과 코사인법칙
   ① 사인법칙
   ② 제일 코사인법칙
   ③ 제이 코사인법칙

2. 삼각형의 넓이
   ① 삼각형의 넓이
   ② 평행사변형의 넓이

1. 사인법칙

삼각형 ABC의 외접원의 반지름의 길이를 R라 하면

(1) $\dfrac{a}{\sin A}=\dfrac{b}{\sin B}=\dfrac{c}{\sin C}=2R$

(2) $a : b : c=\sin A : \sin B : \sin C$

2. 제일 코사인법칙

(1) $a=b\cos C+c\cos B$

(2) $b=c\cos A+a\cos C$

(3) $c=a\cos B+b\cos A$

3. 제이 코사인법칙

(1) $a^2=b^2+c^2-2bc\cos A$

(2) $b^2=c^2+a^2-2ca\cos B$

(3) $c^2=a^2+b^2-2ab\cos C$

4. 제이 코사인법칙의 변형

(1) $\cos A=\dfrac{b^2+c^2-a^2}{2bc}$

(2) $\cos B=\dfrac{c^2+a^2-b^2}{2ca}$

(3) $\cos C=\dfrac{a^2+b^2-c^2}{2ab}$

5. 삼각형의 넓이

삼각형 ABC의 넓이 S는

(1) $S=\dfrac{1}{2}ab\sin C=\dfrac{1}{2}bc\sin A=\dfrac{1}{2}ca\sin B$

(2) 세 변의 길이를 알 때(헤론의 공식)

$$S=\sqrt{s(s-a)(s-b)(s-c)}\left(\text{단, } s=\frac{1}{2}(a+b+c)\right)$$

6. 평행사변형의 넓이

이웃하는 두 변의 길이가 a, b이고 그 끼인각의 크기가 θ일 때, 평행사변형의 넓이 S는

$S=ab\sin\theta$

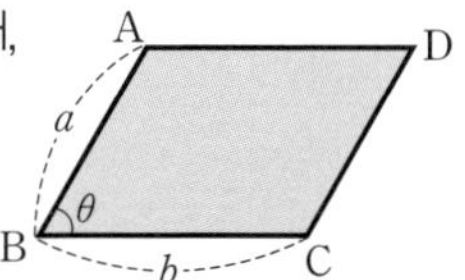

9-1

삼각형 ABC에서 $\angle A=40^\circ$, $\angle B=80^\circ$, $\overline{AB}=6$일 때, 삼각형 ABC의 외접원의 반지름의 길이는?

O △ X

① 3 ② $2\sqrt{3}$ ③ 4 ④ $3\sqrt{2}$ ⑤ $2\sqrt{6}$

9-2

$\angle A=150^\circ$인 삼각형 ABC의 외접원의 반지름의 길이가 5일 때, 변 BC의 길이를 구하시오.

O △ X

9-3

삼각형 ABC에서 $\overline{AB}=7$, $\overline{AC}=8$, $\angle A=120^\circ$일 때, a의 값을 구하시오.

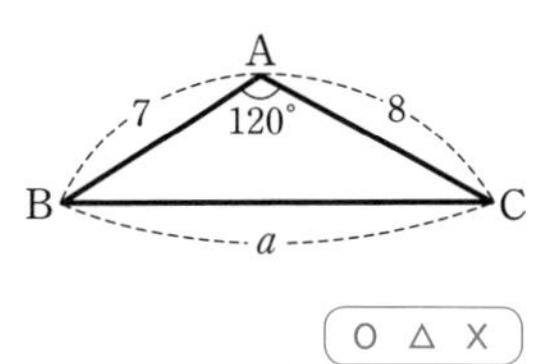

O △ X

9-4

그림과 같은 사각형 ABCD에서 변 BC의 길이를 구하시오.

A
D
B
C
2
3
3
120°
60°

O △ X

아름다운샘

9-5

삼각형 ABC에서 $\frac{\sin A}{5}=\frac{\sin B}{6}=\frac{\sin C}{7}$일 때, $\cos A$의 값을 구하시오.

O △ X

9-6

그림과 같이 $\overline{AD}/\!/\overline{BC}$인 사다리꼴 ABCD에서 $\overline{AD}=4$, $\overline{BC}=8$, $\overline{BD}=6$이다. $\angle DBC=60°$일 때, 사각형 ABCD의 넓이를 구하시오.

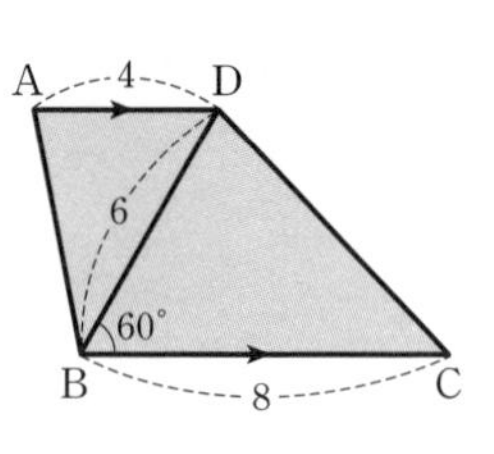

O △ X

9-7

그림과 같이 반지름의 길이가 2인 부채꼴에서 색칠한 부분인 활꼴의 넓이 S를 구하시오.

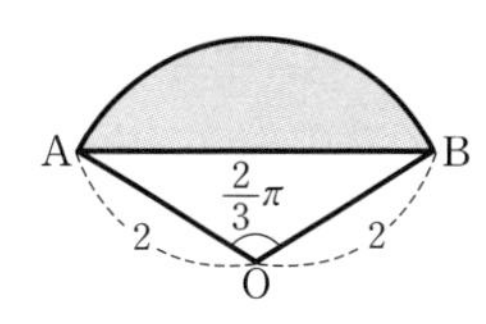

O △ X

9-8

그림과 같은 삼각형 ABC에서 $\overline{AB}=6$, $\overline{AC}=4$, $\angle BAC=120^\circ$이다. $\angle A$의 이등분선이 변 BC와 만나는 점을 D라 할 때, 선분 AD의 길이를 구하시오.

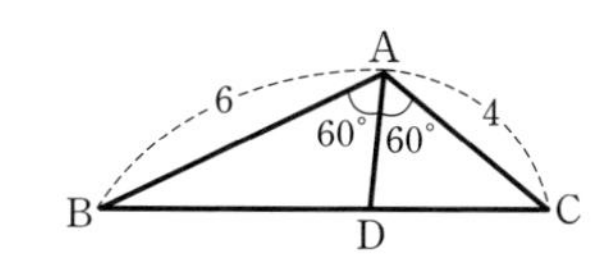

O △ X

아름다운 샘

9-9

그림과 같은 사각형 ABCD의 넓이를 구하시오.

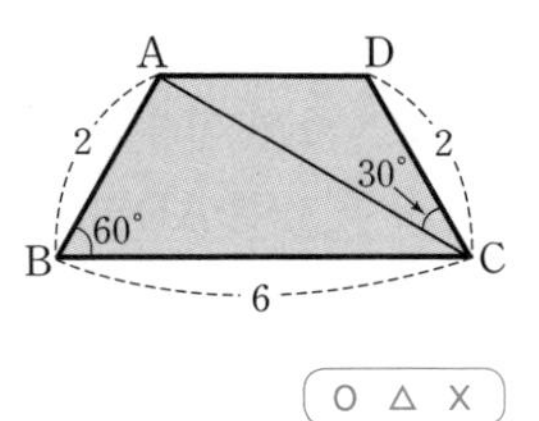

O △ X

9-10

그림과 같은 평행사변형 ABCD에서 두 대각선 AC, BD의 길이가 각각 6, 10이고 두 대각선이 이루는 각의 크기가 60°일 때, 평행사변형 ABCD의 넓이를 구하시오.

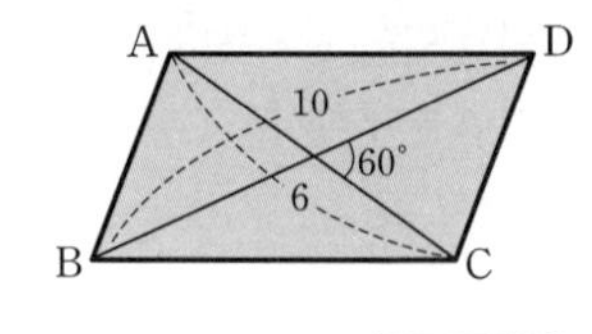

O △ X

아름다운 샘

9-11

삼각형 ABC에서 $\angle A=75^\circ$, $\angle B=60^\circ$, $\overline{AC}=\sqrt{6}$일 때, 변 BC의 길이를 구하시오.

O △ X

9-12

그림에서 삼각형 ABD는 $\angle D$가 직각이고, $\overline{BD}=\overline{AD}=2$인 직각이등변삼각형이다. 점 C가 변 AD의 중점일 때, 삼각형 ABC의 외접원의 넓이를 구하시오.

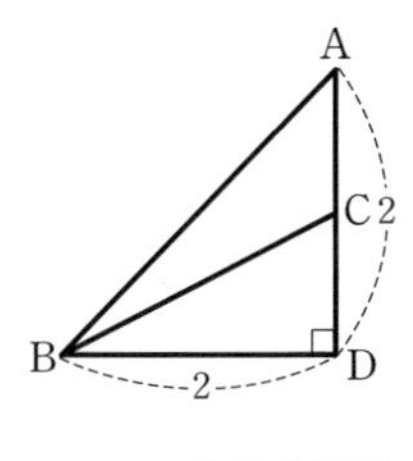

O △ X

9-13

그림과 같이 반지름의 길이가 2인 원에 내접하는 삼각형 ABC에서 $\angle B=45°$, $\angle C=60°$일 때, 변 BC의 길이를 구하시오.

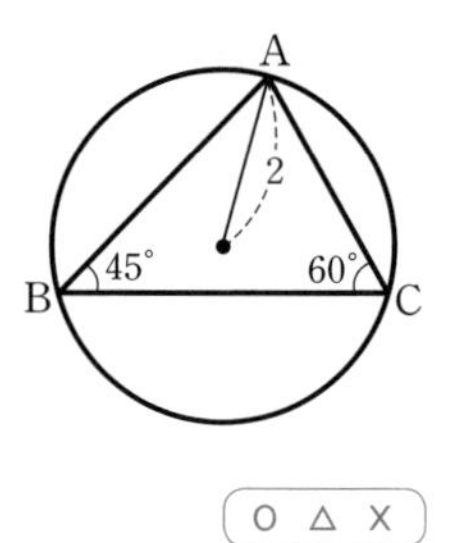

O △ X

9-14

삼각형 ABC에서 $3\sin A=3\sqrt{7}\sin B=\sqrt{7}\sin C$가 성립할 때, $\angle A$의 크기를 구하시오.

O △ X

아름다운 샘

9-15

다음 등식을 만족시키는 삼각형 ABC는 어떤 삼각형인지 구하시오.

(1) $\cos^2 A+\sin^2 B+\sin^2 C=1$

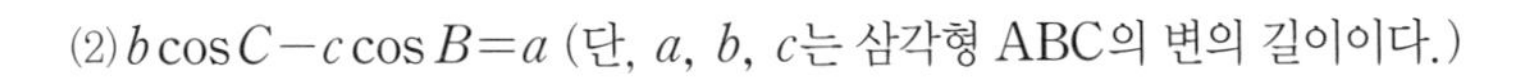

(2) $b\cos C-c\cos B=a$ (단, a, b, c는 삼각형 ABC의 변의 길이이다.)

O △ X

9-16

$\overline{\mathrm{BC}}=5$, $\overline{\mathrm{AC}}=3$, $\angle \mathrm{C}=120^\circ$인 삼각형 ABC의 꼭짓점 C에서 변 AB에 내린 수선의 발을 H라 할 때, 선분 CH의 길이를 구하시오.

O △ X

9-17

$\angle A=60^\circ$, $\overline{AB}=5$, $\overline{AC}=8$인 삼각형 ABC의 내접원의 반지름의 길이를 r, 외접원의 반지름의 길이를 R라 할 때, $r+R$의 값을 구하시오.

O △ X

9-18

그림과 같이 $\overline{AB}=7$, $\overline{BC}=4$, $\overline{CA}=5$인 삼각형 ABC에 두 변 AB, BC를 각각 한 변으로 하는 정사각형을 붙였다. 이때, 삼각형 BDE의 넓이를 구하시오.

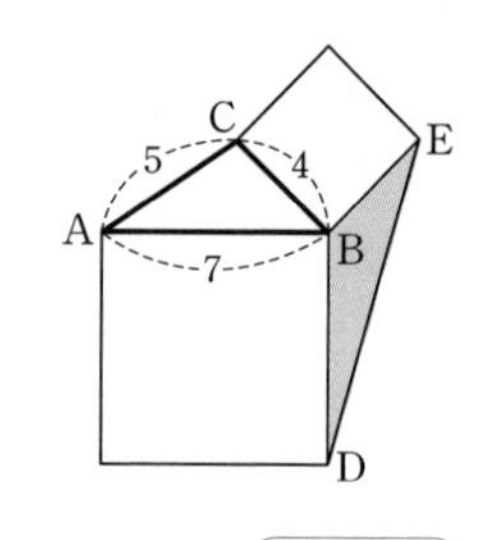

O △ X

아름다운샘

9-19

그림과 같은 사각형 ABCD의 넓이를 구하시오.

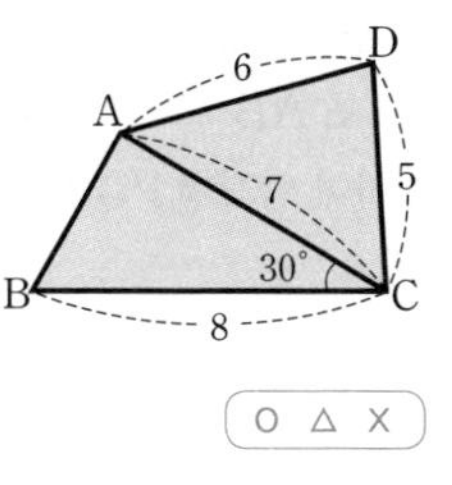

○ △ X

9-20

그림과 같이 사각형 ABCD의 두 대각선의 길이가 각각 x, y이고 끼인각의 크기가 60°이다. $x+y=4$일 때, 이 사각형의 넓이의 최댓값을 구하시오.

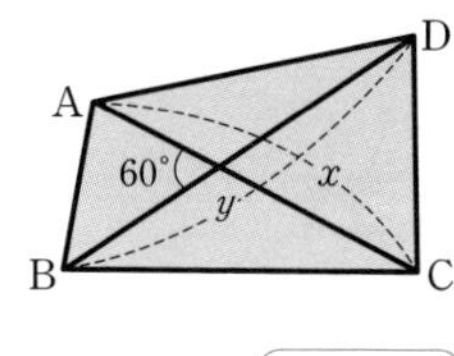

○ △ X

9-21

반지름의 길이가 R인 원 O에 내접하는 삼각형 ABC에 대하여 $\overline{\mathrm{BC}}=a$라 할 때, $\frac{a}{R}$의 값이 정수가 되는 $\angle$A의 크기를 모두 구하시오.

O △ X

9-22

반지름의 길이가 3이고 중심각의 크기가 $60°$인 부채꼴 AOB가 있다. 호 AB 위의 한 점 P와 두 반지름 OA, OB 위의 각 점 Q, R에 대하여 삼각형 PQR의 둘레의 길이의 최솟값을 구하시오.

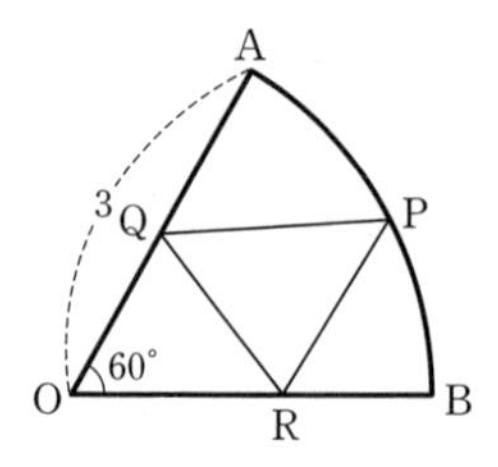

O △ X

9-23

C지점에서 수직으로 쏘아올린 로켓의 높이를 측정하기 위하여 $\angle ABC=120^\circ$가 되도록 그림과 같이 두 지점 A, B를 정하였다. 로켓을 발사한지 1시간이 지났을 때 두 지점 A, B에서 로켓의 앞머리 P를 올려다 본 각도를 측정하였더니 각각 30°, 45°이었다. 두 지점 A, B 사이의 거리가 20 km라 할 때, 발사한 지 1시간이 지났을 때의 로켓의 앞머리 P의 높이를 구하시오.

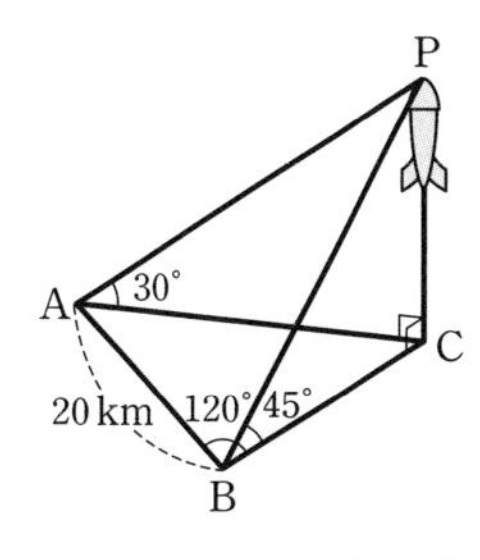

O △ X

9-24

삼각형 ABC에서 $\overline{BC}=a$, $\overline{AC}=b$, $\overline{AB}=c$라 하고 내접원의 반지름의 길이를 r라 하자.
이 삼각형의 외접원의 반지름의 길이가 8, 넓이가 40이고 $\sin A+\sin B+\sin C=\frac{5}{4}$일 때, $\frac{abc}{r}$의 값을 구하시오.

O △ X

아름다운 샘

1. 수열의 뜻
   ① 수열의 뜻과 일반항
   ② 유한수열, 무한수열

2. 등차수열
   ① 등차수열의 뜻
   ② 등차수열의 일반항
   ③ 등차중항

3. 등차수열의 합
   ① 등차수열의 합
   ② a_n과 S_n의 관계

1. 수열의 뜻과 일반항

(1) 수열: 어떤 규칙에 따라 차례로 나열된 수의 열

(2) 항: 수열을 이루고 있는 각각의 수

(3) 일반항: 수열의 제 n 항

2. 등차수열

(1) 등차수열: 첫째항부터 차례로 일정한 수를 더하여 얻어지는 수열

(2) 공차: 등차수열에서 더하여지는 일정한 수

(3) 등차수열의 일반항: 첫째항이 a이고, 공차가 d인 등차수열의 일반항 a_n은

➡ $a_n=a+(n-1)d$

(4) 수열 $\{a_n\}$이 공차가 d인 등차수열이면

$$a_{n+1}=a_n+d \Longleftrightarrow a_{n+1}-a_n=d$$

3. 등차중항

세 수 a, b, c가 이 순서로 등차수열을 이룰 때, b를 a와 c의 등차중항이라고 한다. 이때,

$$2b=a+c \Longleftrightarrow b=\frac{a+c}{2}$$

가 성립한다.

4. 등차수열의 합

등차수열의 첫째항부터 제 n 항까지의 합 S_n은

(1) 첫째항이 a, 제 n 항이 l일 때,

$$S_n=\frac{n(a+l)}{2}$$

(2) 첫째항이 a, 공차가 d일 때,

$$S_n=\frac{n\{2a+(n-1)d\}}{2}$$

5. a_n과 S_n의 관계

수열 $\{a_n\}$의 첫째항부터 제 n 항까지의 합 S_n은

$a_1=S_1$

$a_n=S_n-S_{n-1}$ (단, $n\geq 2$)

10-1

다음 수열의 일반항 a_n을 구하시오.

(1) $-1,\ 4,\ -9,\ 16,\ -25,\ \cdots$ O △ X

(2) $3,\ 33,\ 333,\ \cdots$ O △ X

(3) $1,\ \log_3 6,\ 2,\ \log_3 12,\ \cdots$

O △ X

10-2

첫째항이 -10, 공차가 2인 등차수열 $\{a_n\}$에서 제20항을 구하시오.

O △ X

아름다운샘

10-3

$a_3=5$, $a_6=-4$인 등차수열 $\{a_n\}$의 첫째항을 a, 공차를 d라 할 때, $a-2d$의 값을 구하시오.

O △ X

10-4

등차수열 1, 5, 9, 13, …에서 처음으로 100보다 커지는 항은 제 몇 항인지 구하시오.

O △ X

아름다운샘

10-5

등차수열 $\{a_n\}$에서 $a_4-a_3=3$이고 $a_3 : a_5=5 : 8$일 때, a_{10}은?

O △ X

① 22 ② 25 ③ 28 ④ 31 ⑤ 34

10-6

x에 대한 다항식 x^2+ax+2를 $x+2$, $x-1$, $x-2$로 각각 나눈 나머지가 순서대로 등차수열을 이룰 때, 상수 a의 값을 구하시오.

O △ X

10-7

조화수열 $\frac{1}{15}, \frac{1}{12}, \frac{1}{9}, \frac{1}{6}, \cdots$에서 제30항을 구하시오. ○ △ X

10-8

첫째항이 2, 제5항이 22인 등차수열 $\{a_n\}$의 첫째항부터 제7항까지의 합을 구하시오. ○ △ X

아름다운샘

10 - 9

등차수열 $\{a_n\}$에서 $a_6=42$, $a_{12}=78$이고 $a_1+a_2+a_3+\cdots+a_k=264$일 때, 자연수 k의 값은?

O △ X

① 8 ② 9 ③ 10 ④ 11 ⑤ 12

10 - 10

첫째항이 a, 공차가 d인 등차수열 $\{a_n\}$의 첫째항부터 제n항까지의 합이 $S_n=n^2+3n$일 때, $a+d$의 값을 구하시오.

O △ X

10 - 11

등차수열 $\{a_n\}$에 대하여

$$a_1+a_2=10,\ a_3+a_4+a_5=45$$

가 성립할 때, a_{10}을 구하시오.

O △ X

10 - 12

다음과 같이 1과 6 사이에 각각 10개, 20개의 항을 나열하여 만든 두 수열

$$1,\ a_1,\ a_2,\ \cdots,\ a_{10},\ 6$$

$$1,\ b_1,\ b_2,\ \cdots,\ b_{20},\ 6$$

이 모두 등차수열을 이룰 때, $\dfrac{b_{20}-b_{11}}{a_{10}-a_1}$의 값을 구하시오.

O △ X

10 – 13

다음은 어떤 등차수열의 일부분이다.

$$\cdots, \log_2 \frac{3}{2}, a, \log_2 6, b, c, \cdots$$

$a+c=\log_2 k$일 때, 양수 k의 값을 구하시오. (단, a, b, c는 실수이다.)

O △ X

10 – 14

반지름의 길이가 1인 반원의 지름 AB를 한 변으로 하고 원 위의 점 C를 한 꼭짓점으로 하는 삼각형 ABC가 있다. 세 변 AB, BC, CA의 길이가 이 순서로 등차수열을 이룰 때, 삼각형 ABC의 넓이를 구하시오.

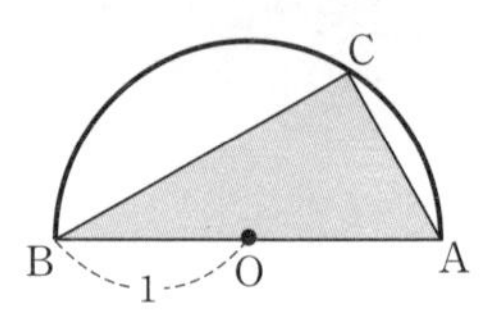

O △ X

아름다운 샘

10 - 15

제30항이 -47이고 첫째항부터 제30항까지의 합이 -105인 등차수열의 제20항을 구하시오.

O △ X

10 - 16

첫째항이 20, 공차가 -3인 등차수열 $\{a_n\}$에 대하여

$$|a_1|+|a_3|+|a_5|+|a_7|+|a_9|+|a_{11}|+|a_{13}|+|a_{15}|+|a_{17}|$$

의 값을 구하시오.

O △ X

아름다운 샘

10 – 17

3으로 나누었을 때의 나머지가 1인 두 자리의 자연수를 모두 합한 값은?

O △ X

① 1498 ② 1590 ③ 1605 ④ 1620 ⑤ 1712

10 – 18

등차수열 $\{a_n\}$에서

$$a_1+a_2+a_3+\cdots+a_{10}=100,\ \ a_1+a_2+a_3+\cdots+a_{20}=400$$

일 때, $a_1+a_2+a_3+\cdots+a_{30}$의 값을 구하시오.

O △ X

아름다운샘

10 – 19

수열 $\{a_n\}$의 첫째항부터 제n항까지의 합 S_n이 $S_n=n^2+6n-1$일 때, $a_1+a_4+a_7+\cdots+a_n=643$이라고 한다. n의 값을 구하시오.

O △ X

10 – 20

그림에서 두 선분 CD와 AE는 선분 DE와 수직이다. 선분 DE를 10등분하는 9개의 점 P_1, P_2, $\cdots$, P_9에서 선분 DE에 수직인 직선을 그어 두 선분 AB, BC와 만나는 점을 각각 Q_1, Q_2, $\cdots$, Q_9라 하자. 두 점 B와 Q_5가 일치하고 $\overline{P_5Q_5}=10$, $\overline{P_1Q_1}+\overline{P_2Q_2}+\cdots+\overline{P_9Q_9}=140$일 때, $\overline{AE}+\overline{CD}$의 값을 구하시오.

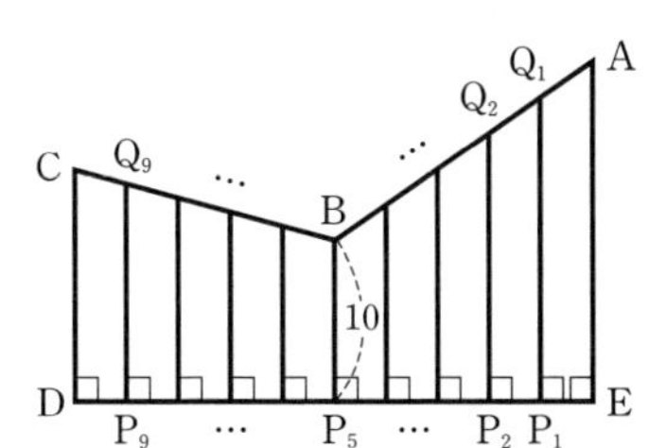

O △ X

10 – 21

일반항 a_n이 $a_n=4n-2$인 수열 $\{a_n\}$의 첫째항부터 제n항까지의 합 S_n에 대하여 S_2, S_n, S_{n+4}가 이 순서로 등차수열을 이룰 때, n의 값을 구하시오. (O △ X)

10 – 22

$a_{10}-a_5=10$인 등차수열 $\{a_n\}$에 대하여 수열 $\{p_n\}$을

$$a_1+a_2+a_3+a_4,\ a_5+a_6+a_7+a_8,\ a_9+a_{10}+a_{11}+a_{12},\ \cdots$$

이라 할 때, $p_{10}-p_5$의 값을 구하시오. (O △ X)

10-23

첫째항이 1이고 공차가 d인 등차수열 $\left\{\frac{1}{a_n}\right\}$이

$$a_1a_2+a_2a_3+a_3a_4+\cdots+a_{99}a_{100}=11$$

을 만족시킬 때, d의 값을 구하시오.

O △ X

10-24

유전 연구에 필요한 두 가지 식물 A, B를 재배하기 위하여 정육각형 모양의 토지를 다음과 같이 나누어 놓았다.

> (가) 정육각형을 여섯 개의 정삼각형으로 나눈다.
> (나) 인접한 두 삼각형이 공유하고 있는 변(점선 부분)을 각각 21등분한다.
> (다) 21등분한 각 점을 정육각형 모양의 울타리로 서로 연결하여 모두 21개의 부분으로 구분하여 놓는다.

그림과 같이 가장 안쪽에 있는 정육각형 모양의 토지부터 시작하여 어두운 부분과 흰 부분으로 토지를 교대로 구분한 다음 어두운 부분에는 A식물을 심고, 흰 부분에는 B식물을 심었다. A식물을 심은 부분의 넓이가 231 m^2일 때, B식물을 심은 부분의 넓이는?

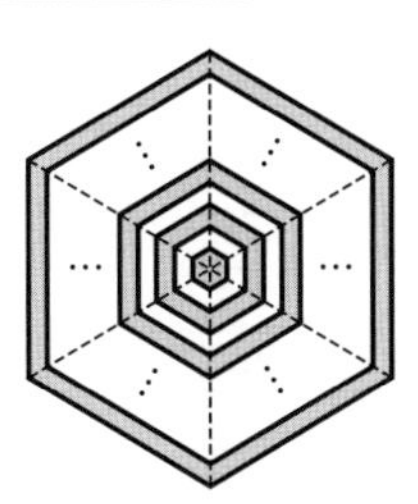

(단, 울타리가 차지하는 넓이는 생각하지 않는다.)

① 210 m^2 ② 212 m^2 ③ 214 m^2 ④ 216 m^2 ⑤ 218 m^2

O △ X

1. 등비수열
   ① 등비수열의 뜻
   ② 등비수열의 일반항
   ③ 등비중항

2. 등비수열의 합
   ① 등비수열의 합
   ② 등비수열의 응용 - 원리합계

1. 등비수열

(1) 등비수열: 첫째항부터 차례로 일정한 수를 곱하여 얻어지는 수열

(2) 공비: 등비수열에서 곱하여지는 일정한 수

(3) 등비수열의 일반항: 첫째항이 a이고 공비가 r인 등비수열의 일반항 a_n은

➡ $a_n=ar^{n-1}$

(4) 수열 $\{a_n\}$이 공비가 r인 등비수열이면

$$a_{n+1}=ra_n \Longleftrightarrow \frac{a_{n+1}}{a_n}=r$$

2. 등비중항

세 수 a, b, c가 이 순서로 등비수열을 이룰 때, b를 a와 c의 등비중항이라고 한다. 이때,

$$b^2=ac$$

가 성립한다.

3. 등비수열의 합

첫째항이 a, 공비가 r인 등비수열의 첫째항부터 제n항까지의 합 S_n은

(1) $r\neq1$일 때, $S_n=\dfrac{a(1-r^n)}{1-r}=\dfrac{a(r^n-1)}{r-1}$

(2) $r=1$일 때, $S_n=na$

4. 등비수열의 합의 응용

(1) 원금 a원을 연이율 r인 복리법으로 n년간 예금할 때, 원리합계 S는

$$S=a(1+r)^n$$

(2) 연이율 r, 1년마다의 복리로 매년 초에 a원씩 적립할 때, n년 말의 원리합계 S는

$$\begin{aligned}S&=a(1+r)+a(1+r)^2+\cdots+a(1+r)^n\\&=\frac{a(1+r)\{(1+r)^n-1\}}{r}\end{aligned}$$

11-1

첫째항이 2, 공비가 3인 등비수열에서 486은 제 몇 항인가?

O △ X

① 제5항 ② 제6항 ③ 제7항 ④ 제8항 ⑤ 제9항

11-2

등비수열 16, -8, 4, -2, …에서 제10항을 구하시오.

O △ X

11-3

등비수열 $\{a_n\}$에 대하여 $a_2=6$, $a_3=12$일 때, a_7을 구하시오.

O △ X

11-4

등비수열 $\{a_n\}$에서 $a_2 : a_5=8 : 1$, $a_6=1$일 때, a_8을 구하시오.

O △ X

11-5

네 수 1, a, b, c는 이 순서로 공비가 r $(r>0)$인 등비수열을 이루고 $\log_a b=c$를 만족시킨다. 이때, r의 값은? (단, $r\neq1$)

O △ X

① $\frac{1}{4}$ ② $\frac{1}{8}$ ③ $\sqrt[3]{2}$ ④ $\sqrt[3]{4}$ ⑤ $2\sqrt{2}$

11-6

3과 96 사이에 4개의 수를 넣어 6개의 수가 차례대로 등비수열을 이루게 할 때, 이 4개의 수 중 가장 작은 수와 가장 큰 수의 합을 구하시오.

O △ X

11-7

세 수 $\sin\theta$, $2\cos\theta$, $\frac{2}{\tan\theta}$가 이 순서로 등비수열을 이룰 때, θ의 값을 구하시오.

$\left(\text{단, } 0<\theta<\frac{\pi}{2}\right)$

O △ X

11-8

다음 등비수열의 합을 구하시오.

(1) $16+8+4+\cdots+\frac{1}{16}$

O △ X

아름다운 샘

(2) $3-3\sqrt{2}+6-6\sqrt{2}+\cdots-24\sqrt{2}$

11-9

등비수열 $\{a_n\}$이 다음과 같을 때, 첫째항부터 제6항까지의 합을 구하시오.

(1) $a_1=3$, $a_{n+1}=2a_n$

O △ X

(2) $a_n=5\times2^{2n-1}$

O △ X

11-10

첫째항이 4, 공비가 -3, 제 n 항이 324인 등비수열의 첫째항부터 제 n 항까지의 합을 구하시오.

O △ X

11-11

등비수열 $\{a_n\}$에 대하여

$a_1+a_2+a_3=64,\ a_4+a_5+a_6=8$

이 성립할 때, a_7을 구하시오.

O △ X

11-12

모든 항이 양수인 등비수열 $\{a_n\}$에서 $a_1a_3=\frac{16}{9}$, $a_2a_4=\frac{16}{81}$일 때, $a_n<0.001$을 만족시키는 자연수 n의 최솟값을 구하시오. (단, $\log 2=0.3010$, $\log 3=0.4771$로 계산한다.)

O △ X

11-13

세 수 6, a, b가 이 순서로 등차수열을 이루고, 세 수 a, b, -50이 이 순서로 등비수열을 이루도록 하는 두 정수 a, b의 곱 ab의 값을 구하시오.

O △ X

11-14

그림과 같이 부피가 64이고, 겉넓이가 168인 직육면체에서 세 모서리의 길이 a, b, c가 이 순서로 등비수열을 이룰 때, 모든 모서리의 길이의 합을 구하시오.

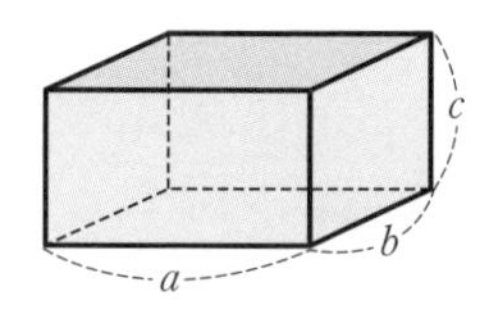

O △ X

11-15

모든 항이 양수인 등비수열 $\{a_n\}$에서 $a_5a_6=9$일 때, 다음 수열의 합을 구하시오.

$$\log_3 a_1+\log_3 a_2+\log_3 a_3+\cdots+\log_3 a_{10}$$

11-16

두 곡선 $y=8x^3$, $y=kx^2-8x+1$이 서로 다른 세 점에서 만나고 그 교점의 x좌표가 등비수열을 이룰 때, k의 값은?

O △ X

① 12 ② 14 ③ 16 ④ 18 ⑤ 20

11-17

공비가 1보다 큰 어떤 등비수열의 첫째항부터 제n항까지의 합을 S_n이라 할 때, $S_2=16$, $S_4=160$이다. 이때, S_{10}의 값을 구하시오.

O △ X

11-18

첫째항이 1, 공비가 3인 등비수열 $\{a_n\}$에 대하여 $a_1+a_3+a_5+\cdots+a_{19}$의 값은?

O △ X

① $\frac{2}{3}(3^{10}-1)$ ② $\frac{3}{4}(3^{10}-1)$ ③ $\frac{1}{9}(3^{20}-1)$

④ $\frac{1}{8}(3^{20}-1)$ ⑤ $\frac{1}{4}(3^{20}-1)$

11-19

수열 $\{a_n\}$의 첫째항부터 제n항까지의 합을 S_n이라 할 때,

$3S_n=a_{n+1}+5 \ (n=1,\ 2,\ 3,\ \cdots)$

가 성립한다. $a_{20}=2^{40}$일 때, a_{30}을 구하시오.

O △ X

11-20

매월 초에 일정한 금액을 월이율 1 %, 한 달마다 복리로 적립하여 5년 후에 5000만 원을 만들려고 한다. 매달 얼마씩 적립해야 하는지 구하시오.

(단, $1.01^{60}=1.8$로 계산하고, 천 원 단위에서 반올림한다.)

O △ X

아름다운 샘

11-21

등비수열 $\{a_n\}$은 첫째항이 r^2이고 공비가 r이다. $T(n)$을

$$T(n)=a_1\times a_3\times a_5\times\cdots\times a_{2n-1}\ (n=1, 2, 3, \cdots)$$

이라 정의할 때, $a_i=T(3)T(4)$, $a_j=\dfrac{T(23)}{T(22)}$을 만족시키는 두 자연수 i, j에 대하여 $i+j$의 값을 구하시오. (단, $r>0$)

O △ X

11-22

그림과 같이 두 직선 l, m에 동시에 접하는 원 C_1이 있다. 원 C_1의 중심을 지나고 두 직선 l, m에 동시에 접하면서 C_1보다 큰 원을 C_2라 하자. 원 C_2의 중심을 지나고 두 직선 l, m에 동시에 접하면서 C_2보다 큰 원을 C_3이라 하자. 이와 같은 방법으로 원 C_k의 중심을 지나고 두 직선 l, m에 동시에 접하면서 C_k보다 큰 원을 C_{k+1}이라 하자. ($k=1, 2, 3, \cdots$)

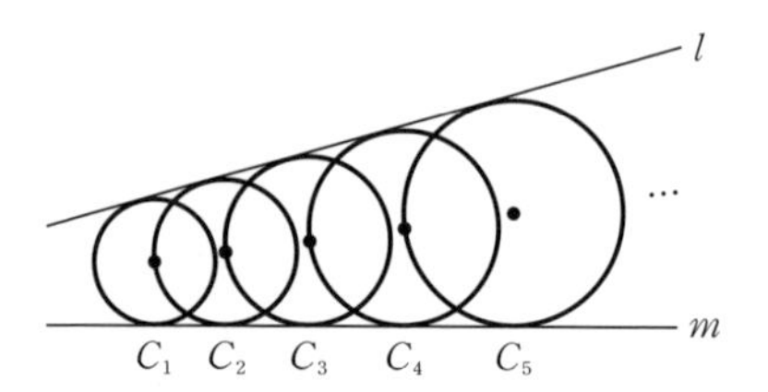

원 C_1의 넓이가 1, 원 C_5의 넓이가 4일 때, 원 C_{19}의 넓이를 구하시오.

O △ X

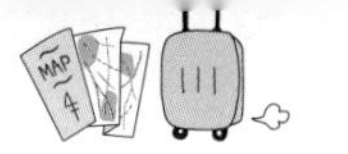

11-23

첫째항이 2이고 공비가 3인 등비수열의 첫째항부터 제n항까지의 합을 S_n이라 하자. 자연수 n에 대하여 부등식

$$[\log_3 S_{n+1}]<[\log_3 (S_n+k)]$$

를 만족시키는 자연수 k의 최솟값을 $f(n)$이라 할 때, $f(2)+f(3)+f(4)$의 값을 구하시오.

(단, $[x]$는 x보다 크지 않은 최대의 정수이다.)

O △ X

11-24

월초에 400만 원짜리 자동차를 구입한 다음, 이달 말부터 12개월 동안 일정한 금액의 할부금을 지불하기로 하였다. 월이율 1%의 1개월마다 복리로 계산할 때, 매달 갚아야 할 금액을 구하시오. (단, $1.01^{12}=1.13$으로 계산하고, 십 원 단위에서 반올림한다.)

O △ X

아름다운샘

1. 합의 기호 $\sum$
   ① $\sum$의 뜻
   ② $\sum$의 기본 성질

2. 자연수의 거듭제곱의 합
   ① 자연수의 거듭제곱의 합
   ② $\sum_{k=1}^{n}$ (k에 대한 다항식)의 계산

3. 여러 가지 수열의 합
   ① 일반항이 지수로 표현된 수열의 합
   ② 일반항이 분수식인 수열의 합
   ③ 군수열

1. $\sum$의 뜻

수열 $\{a_n\}$의 첫째항부터 제 n 항까지의 합

$a_1+a_2+a_3+\cdots+a_n$

을 기호 $\sum$를 사용하여 $\sum_{k=1}^{n} a_k$와 같이 나타낸다.

$$a_1+a_2+a_3+\cdots+a_n=\sum_{k=1}^{n} a_k$$

2. $\sum$의 성질

(1) $\sum_{k=1}^{n}(a_k+b_k)=\sum_{k=1}^{n}a_k+\sum_{k=1}^{n}b_k$

(2) $\sum_{k=1}^{n}(a_k-b_k)=\sum_{k=1}^{n}a_k-\sum_{k=1}^{n}b_k$

(3) $\sum_{k=1}^{n}ca_k=c\sum_{k=1}^{n}a_k$ (단, c는 상수)

(4) $\sum_{k=1}^{n}c=cn$ (단, c는 상수)

3. 자연수의 거듭제곱의 합

(1) $\sum_{k=1}^{n}k=\frac{n(n+1)}{2}$

(2) $\sum_{k=1}^{n}k^2=\frac{n(n+1)(2n+1)}{6}$

(3) $\sum_{k=1}^{n}k^3=\left\{\frac{n(n+1)}{2}\right\}^2$

4. $\sum_{k=1}^{n}$ (k에 대한 다항식)의 계산

$\sum_{k=1}^{n}(ak^3+bk^2+ck+d)=a\sum_{k=1}^{n}k^3+b\sum_{k=1}^{n}k^2+c\sum_{k=1}^{n}k+dn$ (단, a, b, c, d는 상수)

5. 일반항이 분수식인 수열의 합

$$\sum_{k=1}^{n}\frac{1}{k(k+1)}=\sum_{k=1}^{n}\left(\frac{1}{k}-\frac{1}{k+1}\right)$$

12-1

수열 2, 5, 8, $\cdots$, 149의 합

$2+5+8+\cdots+149$

를 기호 $\sum$를 써서 나타내면 $\sum_{k=1}^{c}(ak+b)$이다. 이때, 세 정수 a, b, c의 합 $a+b+c$의 값을 구하시오.

O △ X

12-2

$\sum_{k=1}^{10}a_k=2$, $\sum_{k=1}^{10}b_k=3$일 때, $\sum_{k=1}^{10}(2a_k-3b_k+1)$의 값을 구하시오.

O △ X

12-3

다음 식의 값을 구하시오.

(1) $\sum_{k=0}^{10}(6k+3)$ 　O △ X

(2) $\sum_{k=1}^{10}(2k-3)^2$ 　O △ X

아름다운 샘

12-4

$\sum_{k=1}^{5}(k+2)^2-\sum_{k=1}^{5}(k^2+4)$의 값을 구하시오.

O △ X

12-5

함수 $f(x)$가 $f(1)=3$, $f(10)=50$을 만족시킬 때,

$$\sum_{k=1}^{9}f(k+1)-\sum_{k=2}^{10}f(k-1)$$

의 값을 구하시오.

O △ X

12 - 6

$\sum_{k=1}^{20} k^2 - \sum_{k=5}^{20} k$의 값을 구하시오.

O △ X

12 - 7

첫째항이 -5이고 공차가 2인 등차수열 $\{a_n\}$에 대하여 $\sum_{k=11}^{20} a_k$의 값을 구하시오.

O △ X

아름다운 샘

12 - 8

다음 식의 값을 구하시오.

(1) $\sum_{k=1}^{5}(2^k-3k)$ ○ △ X

(2) $\sum_{k=1}^{6}(3^{k-1}-4)$ ○ △ X

아름다운샘

12 – 9

다음 식의 값을 구하시오.

(1) $\log\frac{1}{2}+\log\frac{2}{3}+\log\frac{3}{4}+\cdots+\log\frac{99}{100}$ O △ X

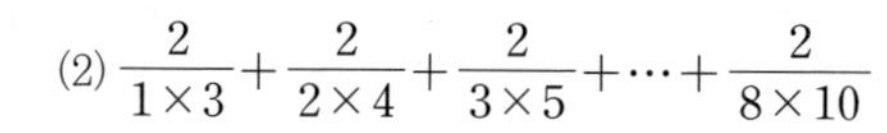

(2) $\frac{2}{1\times3}+\frac{2}{2\times4}+\frac{2}{3\times5}+\cdots+\frac{2}{8\times10}$ O △ X

(3) $\frac{1}{1+\sqrt{3}}+\frac{1}{\sqrt{3}+\sqrt{5}}+\frac{1}{\sqrt{5}+\sqrt{7}}+\cdots+\frac{1}{\sqrt{23}+\sqrt{25}}$

수열 $\{a_n\}$에 대하여 $\sum_{k=1}^{n} a_k = n^2 - 3n$일 때, a_{10}을 구하시오.

12 – 11

$\sum_{k=1}^{50}[\log_3 k]$의 값을 구하시오. (단, $[x]$는 x보다 크지 않은 최대의 정수이다.)

O △ X

12 – 12

첫째항이 $a_1=2$인 수열 $\{a_n\}$이 $\sum_{k=1}^{9} a_{k+1} - \sum_{k=2}^{10} a_{k-1} = 10$을 만족시킬 때, a_{10}은?

O △ X

① 8 ② 9 ③ 10 ④ 11 ⑤ 12

12-13

이차방정식 $x^2-2nx+4=0$의 두 근을 α_n, β_n이라 할 때, $\sum_{n=1}^{5}(\alpha_n{}^2+\beta_n{}^2)$의 값을 구하시오.

O △ X

12-14

수열 1, $1+2$, $1+2+2^2$, $1+2+2^2+2^3$, $1+2+2^2+2^3+2^4$, $\cdots$의 첫째항부터 제n항까지의 합을 구하시오.

O △ X

아름다운샘

12-15

자연수 n에 대하여 $f(n)=\sum_{k=1}^{n}k$라 할 때,

$f(1)+f(2)+f(3)+\cdots+f(10)$

의 값을 구하시오.

O △ X

12-16

$\sum_{k=2}^{10}(2k+1)^2-\sum_{k=1}^{9}(2k-1)^2$의 값을 구하시오.

O △ X

아름다운 샘

12-17

$\sum_{k=1}^{n} ka_k = n(n+1)(n+2)$일 때, $\sum_{k=1}^{10} \frac{9}{a_k a_{k+1}}$의 값을 구하시오.

O △ X

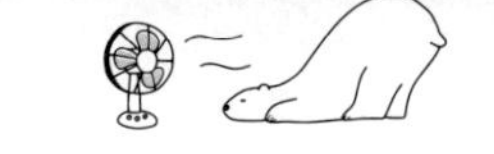

12-18

그림은 함수 $y=\frac{2}{x(x+1)}$ $(x>0)$의 그래프이다. 직선 $x=n$ $(n=1, 2, 3, \cdots)$이 곡선 $y=\frac{2}{x(x+1)}$와 x축에 의하여 잘린 선분의 길이를 l_n이라 할 때, $\sum_{n=1}^{100} l_n$의 값을 구하시오.

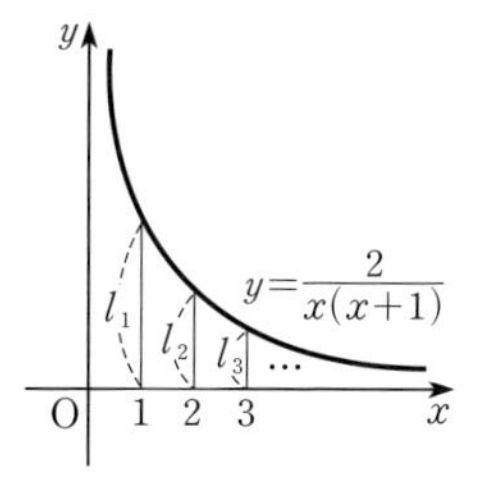

O △ X

아름다운 샘

12-19

그림과 같이 곡선 $y=\sqrt{x}$ 위의 두 점 $(n,\ \sqrt{n})$, $(n+1,\ \sqrt{n+1})$을 지나는 직선의 기울기를 a_n이라 할 때, $\sum_{k=1}^{15} a_k$의 값을 구하시오.

(단, $n=1,\ 2,\ 3,\ \cdots$)

O △ X

12-20

다음 수열의 제90항을 구하시오.

O △ X

$$\frac{1}{1},\ \frac{2}{1},\ \frac{1}{2},\ \frac{3}{1},\ \frac{2}{2},\ \frac{1}{3},\ \frac{4}{1},\ \frac{3}{2},\ \frac{2}{3},\ \frac{1}{4},\ \frac{5}{1},\ \cdots$$

아름다운 샘

12-21

자연수 n에 대하여 두 함수 $f(n)$, $g(n)$을

$$f(n)=[7^n]-10\left[\frac{7^n}{10}\right],\ g(n)=[4^n]-10\left[\frac{4^n}{10}\right]$$

으로 정의할 때, 수열 $\{a_n\}$의 일반항 a_n을 $a_n=f(n)-g(n)$이라 하자. 이때, $\sum_{k=1}^{2018} a_k$의 값을 구하시오. (단, $[x]$는 x보다 크지 않은 최대의 정수이다.)

O △ X

12-22

함수 $f(x)=x-[x]$의 그래프와 직선 $y=\frac{1}{2n+1}x$ (n은 자연수)가 만나는 점의 개수를 a_n이라 할 때, $\sum_{n=1}^{9} a_n$의 값을 구하시오. (단, $[x]$는 x보다 크지 않은 최대의 정수이다.)

O △ X

아름다운 샘

12 – 23

그림과 같이 n이 3 이상의 자연수일 때, 네 점 $(n,\ 0)$, $\left(\frac{3}{2}n,\ 0\right)$, $\left(\frac{3}{2}n,\ \frac{n}{2}\right)$, $\left(n,\ \frac{n}{2}\right)$을 꼭짓점으로 하는 정사각형을 A_n이라 하자. 두 정사각형 A_n, A_{n+1}이 겹치는 부분(색칠한 부분)의 넓이를 a_n이라 할 때, $\sum_{k=3}^{10} \frac{1}{a_k}$의 값을 구하시오.

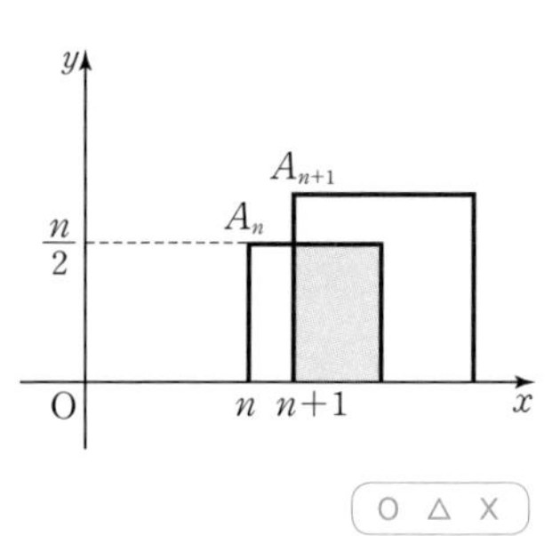

O △ X

12 – 24

수열 $\{a_n\}$이 모든 자연수 n에 대하여 $a_1+2a_2+2^2a_3+\cdots+2^{n-1}a_n=n^2+2n$을 만족시킨다. 이때, $\sum_{n=1}^{12} \frac{1}{2^{2n}a_na_{n+1}}$의 값을 구하시오.

O △ X

12 - 25

표와 같이 자연수를 차례로 써 나갈 때, 5번째 행의 7번째 열에 있는 수를 구하시오.

↓열, 행→

1	2	4	7	⋯
3	5	8		
6	9			
10				
⋮				

O △ X

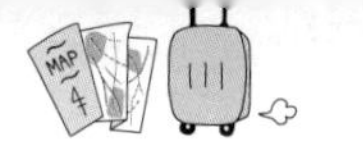

아름다운 샘

1. 수열의 귀납적 정의

수열 $\{a_n\}$을

(i) 처음 몇개의 항

(ii) 이웃하는 항들 사이의 관계식

으로 정의하는 것을 수열 $\{a_n\}$의 귀납적 정의라고 한다.

2. 등차수열의 관계식

수열 $\{a_n\}$에 대하여

(1) $a_{n+1}=a_n+d$ ← 공차가 d인 등차수열

(2) $2a_{n+1}=a_n+a_{n+2}$ ← 등차수열

3. 등비수열의 관계식

수열 $\{a_n\}$에 대하여

(1) $a_{n+1}=ra_n$ ← 공비가 r인 등비수열

(2) $a_{n+1}{}^2=a_na_{n+2}$ ← 등비수열

4. 여러 가지 관계식

(1) $a_{n+1}=a_n+f(n)$의 꼴

수열 $\{a_n\}$이

$$a_1=a,\ a_{n+1}=a_n+f(n) \quad \cdots\cdots ㉠$$

의 꼴로 정의될 때, 수열의 일반항은 ㉠의 n 대신에 $1, 2, 3, \cdots, n-1$을 차례로 대입한 후 변끼리 더하여 구한다.

(2) $a_{n+1}=f(n)\times a_n$의 꼴

수열 $\{a_n\}$이

$$a_1=a,\ a_{n+1}=f(n)\times a_n \quad \cdots\cdots ㉡$$

의 꼴로 정의될 때, 수열의 일반항은 ㉡의 n 대신에 $1, 2, 3, \cdots, n-1$을 차례로 대입한 후 변끼리 곱하여 구한다.

5. 수학적 귀납법

(i) $n=1$일 때, 명제 $p(n)$이 성립한다.

(ii) $n=k$일 때, 명제 $p(n)$이 성립한다고 가정하면, $n=k+1$일 때도 명제 $p(n)$이 성립한다.

이와 같은 방법으로 자연수 n에 대한 명제 $p(n)$이 참임을 증명하는 방법을 수학적 귀납법이라고 한다.

13 – 1

다음과 같이 귀납적으로 정의된 수열 $\{a_n\}$에서 a_4를 구하시오. (단, $n=1, 2, 3, \cdots$)

(1) $\begin{cases} a_1=3 \\ a_{n+1}=a_n+4n-3 \end{cases}$

O △ X

(2) $\begin{cases} a_1=2 \\ a_{n+1}=2^n a_n \end{cases}$

O △ X

아름다운 샘

(3) $\begin{cases} a_1=1 \\ a_{n+1}=(n+1)a_n \end{cases}$

O △ X

13-2

$\begin{cases} a_6=56 \\ a_n=a_{n+1}-n^2 \ (n=1,\ 2,\ 3,\ \cdots) \end{cases}$으로 정의된 수열 $\{a_n\}$에서 a_3을 구하시오.

O △ X

13-3

$\begin{cases} a_1=1,\ a_2=6 \\ 2a_{n+1}=a_n+a_{n+2}\ (n=1,\ 2,\ 3,\ \cdots) \end{cases}$ 로 정의되는 수열 $\{a_n\}$의 a_{12}는?

O △ X

① 54 ② 56 ③ 58 ④ 60 ⑤ 62

13-4

수열 $\{a_n\}$이

$a_1=2,\ a_{n+1}-3=a_n\ (n=1,\ 2,\ 3,\ \cdots)$

으로 정의될 때, $\sum_{k=1}^{10} a_k$의 값을 구하시오.

O △ X

아름다운샘

13-5

$a_1=1$, $a_{n+1}=2a_n$ $(n=1, 2, 3, \cdots)$으로 정의되는 수열 $\{a_n\}$의 a_7은?

O △ X

① 32 ② 48 ③ 64 ④ 82 ⑤ 96

13-6

모든 항이 양수인 수열 $\{a_n\}$은 $\dfrac{a_{n+2}}{a_{n+1}}=\dfrac{a_{n+1}}{a_n}$ $(n=1, 2, 3, \cdots)$을 만족시키고, $a_1=2$, $a_3=50$이다. 이때, $\dfrac{a_{11}}{a_8}$의 값을 구하시오.

13-7

$a_1=1$이고, $a_{n+1}=4-a_n$ $(n=1, 2, 3, \cdots)$을 만족시키는 수열 $\{a_n\}$에 대하여 $a_1+a_2+\cdots+a_{10}$의 값을 구하시오.

O △ X

13-8

$a_n+a_{n+1}=n$ $(n=1, 2, 3, \cdots)$으로 정의되는 수열 $\{a_n\}$에 대하여 $\sum_{k=1}^{20} a_k$의 값을 구하시오.

O △ X

13-9

다음은 모든 자연수 n에 대하여 등식

$$\frac{1}{1\times2}+\frac{1}{2\times3}+\frac{1}{3\times4}+\cdots+\frac{1}{n(n+1)}=\frac{n}{n+1}$$

이 성립함을 수학적 귀납법으로 증명하는 과정이다.

증명

(i) $n=1$일 때,

$$(\text{좌변})=\frac{1}{1\times2}=\frac{1}{2},\ (\text{우변})=\frac{1}{1+1}=\frac{1}{2}$$

따라서 주어진 등식이 성립한다.

(ii) $n=k$일 때, 주어진 등식이 성립한다고 가정하면

$$\frac{1}{1\times2}+\frac{1}{2\times3}+\frac{1}{3\times4}+\cdots+\frac{1}{k(k+1)}=\frac{k}{k+1}$$

위의 식의 양변에 [(가)]을 더하면

$$\frac{1}{1\times2}+\frac{1}{2\times3}+\frac{1}{3\times4}+\cdots+\frac{1}{k(k+1)}+\boxed{(가)}$$

$$=\frac{k}{k+1}+\boxed{(가)}$$

$$=\boxed{(나)}$$

따라서 $n=k+1$일 때도 주어진 등식이 성립한다.

그러므로 (i), (ii)에 의하여 모든 자연수 n에 대하여 주어진 등식이 성립한다.

(가), (나)에 알맞은 것을 구하시오.

O △ X

STEP B 연습문제

13-10

$a_1=1,\ a_n+a_{n+1}=(-1)^n\ (n=1,\ 2,\ 3,\ \cdots)$인 수열 $\{a_n\}$에 대하여 $a_{10}+a_{15}+a_{20}$의 값은?

O △ X

① -15 ② -10 ③ -5 ④ 10 ⑤ 15

13-11

수열 $\{a_n\}$에서 $S_n=a_1+a_2+a_3+\cdots+a_n$이라 할 때, $S_1=2$이고, $S_{n+1}=3S_n+2$ $(n=1,\ 2,\ 3,\ \cdots)$이다. 이때, a_5를 구하시오.

O △ X

13-12

수열 $\{a_n\}$을

$$a_1=3,\ a_{n+1}=a_n+n^2\ (n=1,\ 2,\ 3,\ \cdots)$$

과 같이 정의할 때, a_{10}을 구하시오.

O △ X

아름다운샘

13-13

$a_1=2,\ a_{n+1}=\dfrac{n+2}{n+1}a_n\ (n=1,\ 2,\ 3,\ \cdots)$으로 정의된 수열 $\{a_n\}$에 대하여 a_{100}을 구하시오.

O △ X

13-14

수열 $\{a_n\}$에서 $a_1=2$이고 $a_nx^2-a_{n+1}x+1=0\ (n=1,\ 2,\ 3,\ \cdots)$인 관계가 성립한다. 이 이차방정식의 두 근을 $\alpha,\ \beta$라 하면 $\alpha+\beta+\alpha\beta=2$일 때, a_{10}을 구하시오. (단, $a_n\neq0$)

O △ X

13 – 15

$a_1=1$, $a_2=3$이고, $a_{n+2}-a_{n+1}+a_n=0$ ($n=1$, 2, 3, $\cdots$)으로 정의되는 수열 $\{a_n\}$에 대하여 **보기**에서 옳은 것만을 있는 대로 고르시오.

O △ X

보기

ㄱ. $a_{n+6}=a_n$ ㄴ. $a_{100}=3$ ㄷ. $\sum_{k=1}^{200} a_k=4$

13 – 16

n각형의 대각선의 수를 a_n이라 할 때, a_n과 a_{n+1} 사이의 관계식을 구하시오. (단, $n\geq 4$)

O △ X

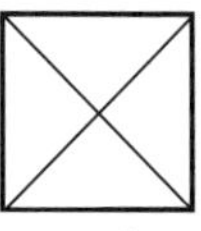
$n=4$

$n=5$

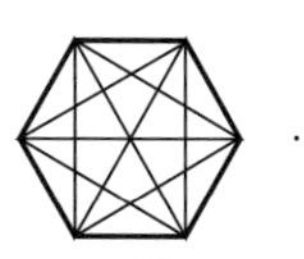
$n=6$

$\cdots$

아름다운샘

13-17

어느 실험실의 용기에 박테리아가 5마리 들어 있다. 이 박테리아는 1시간이 지나면 전 시간의 2배보다 3마리 부족한 수로 번식한다고 한다. 이 박테리아의 수가 최초로 50마리를 넘는 것은 몇 시간 후인지 구하시오.

O △ X

13-18

다음은 $n \geq 4$인 모든 자연수 n에 대하여 부등식 $3n+2<2^n$이 성립함을 증명하는 과정이다.

증명

(i) $n=4$일 때, (좌변)$=14<16=$(우변)이므로 주어진 부등식이 성립한다.

(ii) $n=k(k \geq 4)$일 때, 성립한다고 가정하면, $3k+2<2^k$이므로

$$3(k+1)+2<\boxed{\text{(가)}}+3$$

그런데, $k \geq 4$인 k에 대하여 $2^{k+1}-2^k>3$이므로

$$3(k+1)+2<\boxed{\text{(나)}}$$

즉, $n=k+1$일 때도 주어진 부등식이 성립한다.

따라서 (i), (ii)에서 주어진 부등식은 $n \geq 4$인 모든 자연수 n에 대하여 성립한다.

(가), (나)에 알맞은 것을 구하시오.

O △ X

아름다운 샘

13－19

두 수열 $\{a_n\}$, $\{b_n\}$이 모든 자연수 n에 대하여 다음을 만족시킬 때, b_5를 구하시오.

O △ X

(가) $a_1=3$, $a_2=8$
(나) $a_{n+2}=2a_{n+1}-a_n$
(다) $\sum_{k=1}^{n} a_k b_k=(4n-1)\times 2^n+1$

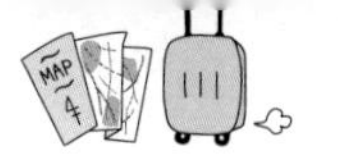

13－20

$a_1=1$, $a_{n+1}+a_n=3n+1$ $(n=1,\ 2,\ 3,\ \cdots)$로 정의된 수열 $\{a_n\}$에 대하여 **보기**에서 옳은 것만을 있는 대로 고르시오.

O △ X

보기

ㄱ. $a_4=6$　　ㄴ. $a_{n+2}-a_n=3$　　ㄷ. $\sum_{k=1}^{20} a_{5k}=1570$

아름다운 샘

13 - 21

수열 $\{a_n\}$이 $a_1=3$, $a_{n+1}=4a_n+3$ $(n=1, 2, 3, \cdots)$을 만족시킬 때,

$\sum_{k=1}^{n} \frac{1}{\log_2(a_k+1)\log_2(a_{k+1}+1)} = \frac{n}{p(n+1)}$이다. 이때, 자연수 p의 값을 구하시오.

O △ X

13 - 22

민철이는 대형 물탱크에 물을 넣으려고 한다. 첫날은 10 L의 물을 넣고 다음 날부터 전날 넣은 물의 양의 $\frac{5}{4}$배보다 1 L 적은 양을 넣기로 하였다. 이때, 하루에 넣는 물의 양이 100 L를 넘는 것은 물을 넣기 시작한 지 며칠째부터인지 구하시오. (단, $\log 2=0.301$로 계산한다.)

O △ X

아름다운샘

Memo

Memo

01. 지수 본문 p.001

1 -9 **2** ㄴ, ㄹ **3** ③ **4** ② **5** 3 **6** 5^{19} **7** ②
8 ④ **9** (1) $2(a+a^{-1})$ (2) $a-a^{-1}$ **10** 52
11 -8 **12** $2^{2\sqrt{2}}$ **13** $B<C<A$ **14** (1) $\sqrt{5}$ (2) $\frac{3}{7}$
15 6 **16** 116 **17** ③ **18** (1) $\sqrt{30}$ (2) $-\frac{1}{2}$
19 31 **20** ④
21 12 **22** 648 **23** $\sqrt[3]{4}$ **24** $6-3\sqrt{2}$ **25** 108

02. 로그 본문 p.016

1 12 **2** ③ **3** (1) 3 (2) -2 (3) 2 (4) 2 **4** 77 **5** ①
6 ㄹ **7** 3 **8** 2 **9** ⑤ **10** (1) 3 (2) $\frac{7}{3}$
11 3 **12** (1) $-2a+4b+3c$ (2) $\frac{2b+c}{3a+3b}$
13 (1) $\frac{a+1}{ab}$ (2) $\frac{2a+ab}{a+1}$ (3) $\frac{a+ab}{3a+6}$ **14** $\frac{10}{3}$
15 ② **16** 9 **17** 284 **18** $\frac{40}{27}$ **19** ② **20** 5
21 ② **22** b를 빗변으로 하는 직각삼각형 **23** 63
24 544 **25** 13

03. 상용로그 본문 p.033

1 (1) $\frac{1}{2}$ (2) $\frac{7}{6}$ **2** 1.6808 **3** ③ **4** 2 **5** 8.783
6 3240 **7** 102 **8** -22.19 **9** ① **10** 1099
11 ⑤ **12** 945 **13** 0 **14** $\frac{9}{4}$ **15** ④ **16** 27
17 2 **18** 7 **19** ③ **20** 416
21 64 **22** 162000 **23** 100 **24** 13

04. 지수함수와 로그함수 본문 p.046

1 ⑤ **2** 29 **3** 6 **4** $A<B<C$ **5** $\frac{4}{5}$ **6** 5 **7** ③
8 -8 **9** ① **10** 4
11 ① **12** ㄱ, ㄴ, ㄷ **13** $\frac{1}{32}$ **14** 8 **15** $\frac{7}{2}$
16 ⑤ **17** (1) 4 (2) -1 **18** 4 **19** 6 **20** $\log_2 \frac{4}{3}$
21 $8+4\sqrt{2}$ **22** ㄱ **23** ㄱ, ㄴ **24** 42

05. 지수함수의 활용 본문 p.059

1 (1) $x=-\frac{1}{4}$ (2) $x=-\frac{10}{9}$ **2** 1 **3** $\frac{5}{3}$ **4** 5 **5** 4
6 (1) $x\le 2$ (2) $-2<x<0$ **7** $-3<x<-2$
8 (1) $-1<x<2$ (2) $-1<x<1$ **9** ② **10** $\frac{1}{2}$
11 (1) $x=1$ 또는 $x=2$ (2) $x=1$ 또는 $x=3$
(3) $0<x<1$ 또는 $x>2$ (4) $1\le x\le 5$
12 4 **13** 8 **14** 28 **15** 14
16 $x<a$ 또는 $c<x<d$ **17** ② **18** $\sqrt[3]{2}$ **19** 2
20 16년
21 ③ **22** 3 **23** 11 **24** 9 **25** $\left(\frac{3}{2}\right)^{10}$

06. 로그함수의 활용 본문 p.075

1 (1) $x=4$ (2) $x=5$ **2** $\frac{17}{2}$ **3** -16 **4** 4 **5** 28
6 (1) $\frac{1}{2}<x<\frac{3}{2}$ (2) $1<x\le 2$ (3) $0<x<2$
7 ② **8** 6 **9** 14 **10** 10
11 (1) $x=3$ 또는 $x=9$ (2) $x=1$ 또는 $x=4$
12 $\sqrt{10}$ **13** 192 **14** -2 **15** 3 **16** 4 **17** 88
18 ① **19** 25 **20** $\frac{\sqrt{10}}{10}$배
21 74 **22** ⑤ **23** ② **24** 49

07. 삼각함수의 뜻 본문 p.090

1 ㄴ, ㅁ **2** ④ **3** (1) $\frac{4}{9}\pi$ (2) $\frac{20}{9}\pi$ (3) -210°
(4) -420° (5) 180° (6) $\frac{900^\circ}{\pi}$
4 $r=6\sqrt{2}$cm, $l=2\sqrt{2}\pi$ cm **5** -5 **6** $\tan\theta$
7 ② **8** -1 **9** ④ **10** $\frac{1}{4}$
11 $\frac{2}{3}\pi$ **12** ④ **13** $\frac{\pi}{18}$ **14** 4 **15** 3 **16** $-\frac{7}{25}$
17 $\frac{\sqrt{5}}{3}$ **18** -1 **19** $-\frac{\sqrt{2}+2}{2}$ **20** ①
21 제1사분면의 각 또는 제3사분면의 각
22 $\frac{2}{3}\pi$ **23** ④ **24** 30

08. 삼각함수의 그래프 본문 p.104

1 (1) $2+\pi$ (2) 4 **2** 4 **3** ⑤ **4** ④ **5** ④
6 (1) $x=\frac{5}{4}\pi$ 또는 $x=\frac{7}{4}\pi$
(2) $x=\frac{\pi}{6}$ 또는 $x=\frac{11}{6}\pi$ **7** $\frac{5}{2}\pi$
8 (1) $0\le\theta<\frac{\pi}{3}$ 또는 $\frac{2}{3}\pi<\theta<2\pi$ (2) $\frac{\pi}{4}<\theta<\frac{5}{4}\pi$
9 $\frac{\pi}{6}<x<\frac{\pi}{2}$ 또는 $\frac{\pi}{2}<x<\frac{5}{6}\pi$ **10** ②
11 ㄴ, ㄷ **12** ㄱ, ㄷ **13** 6 **14** ①
15 (1) -1 (2) 5 **16** 5 **17** $\frac{1}{2}$ **18** 3π
19 $\frac{\pi}{3}<x<\frac{\pi}{2}$ **20** 2
21 ㄱ, ㄷ **22** $\sqrt{5+4\sin\theta}$ **23** ㄱ, ㄷ **24** 2

09. 삼각함수의 활용 본문 p.119

1 ② **2** 5 **3** 13 **4** 5 **5** $\frac{5}{7}$ **6** $18\sqrt{3}$ **7** $\frac{4}{3}\pi-\sqrt{3}$
8 $\frac{12}{5}$ **9** $3\sqrt{3}+\sqrt{7}$ **10** $15\sqrt{3}$
11 $\sqrt{3}+1$ **12** $\frac{5}{2}\pi$ **13** $\sqrt{6}+\sqrt{2}$ **14** 60°
15 (1) $\angle A=90^\circ$인 직각삼각형
(2) $\angle B=90^\circ$인 직각삼각형
16 $\frac{15\sqrt{3}}{14}$ **17** $\frac{10\sqrt{3}}{3}$ **18** $4\sqrt{6}$ **19** $14+6\sqrt{6}$
20 $\sqrt{3}$
21 $30^\circ, 90^\circ, 150^\circ$ **22** $3\sqrt{3}$ **23** 20 km **24** 320

10. 등차수열 본문 p.132

1 (1) $a_n=(-1)^n\times n^2$ (2) $a_n=\frac{1}{3}(10^n-1)$
(3) $a_n=\log_3 3n$
2 28 **3** 17 **4** 제26항 **5** ④ **6** 3 **7** $-\frac{1}{72}$
8 119 **9** ① **10** 6
11 39 **12** $\frac{11}{21}$ **13** 72 **14** $\frac{24}{25}$ **15** -17
16 124 **17** ③ **18** 900 **19** 40 **20** 45
21 10 **22** 160 **23** $\frac{8}{99}$ **24** ①

11. 등비수열 본문 p.146

1 ② **2** $-\frac{1}{32}$ **3** 192 **4** $\frac{1}{4}$ **5** ③ **6** 54 **7** $\frac{\pi}{3}$
8 (1) $\frac{511}{16}$ (2) $45(1-\sqrt{2})$ **9** (1) 189 (2) 13650
10 244
11 $\frac{4}{7}$ **12** 9 **13** 20 **14** 84 **15** 10 **16** ③
17 $2(3^{10}-1)$ **18** ④ **19** 2^{60} **20** 62만 원
21 76 **22** 512 **23** 237 **24** 347700원

12. 수열의 합 본문 p.160

1 52 **2** 5 **3** (1) 363 (2) 970 **4** 60 **5** 47 **6** 2670
7 240 **8** (1) 17 (2) 340 **9** (1) -2 (2) $\frac{58}{45}$ (3) 2
10 16
11 114 **12** ⑤ **13** 180 **14** $2^{n+1}-n-2$ **15** 220
16 792 **17** $\frac{5}{12}$ **18** $\frac{200}{101}$ **19** 3 **20** $\frac{2}{12}$
21 6 **22** 90 **23** $\frac{116}{45}$ **24** $\frac{2}{27}$ **25** 60

13. 수학적 귀납법 본문 p.176

1 (1) 18 (2) 128 (3) 24 **2** 6 **3** ② **4** 155 **5** ③
6 125 **7** 20 **8** 100
9 (가) $\frac{1}{(k+1)(k+2)}$, (나) $\frac{k+1}{k+2}$
10 ① **11** 162 **12** 288 **13** 101 **14** 513
15 ㄱ, ㄷ **16** $a_{n+1}=a_n+(n-1)$ (단, $n\ge 4$)
17 5시간 **18** (가) 2^k, (나) 2^{k+1}
19 16 **20** ㄱ, ㄴ, ㄷ **21** 4 **22** 14일

Memo